New INHA KOREAN 5

인하대학교 언어교육원
Inha University
Language Training Center

5 새인하한국어

최권진, 남은영, 오솔샘, 정경화, 김승희 지음

인하대학교 출판부
INHA UNIVERSITY PRESS

지은이

최권진
인하대학교 국제학부 교수
인하대학교 언어교육원 부원장
소피아대학교 언어학 박사

남은영
인하대학교 국제학부 강사
인하대학교 문화경영학 박사

오솔샘
중앙대학교 언어교육원 강사
이화여자대학교 국제대학원 한국학과 한국어교육 석사

정경화
고려대학교 국제어학원 한국어센터 강사
이화여자대학교 국어교육과 박사 수료

김승희
동국대학교 한국어교육센터
동국대 국어국문학과 외국어로서의 한국어교육 박사 수료

도움을 주신 분

지원: 인하대학교 총장 박춘배, 인하대학교 언어교육원장 김태승
행정: 인하대학교 출판부, 인하대학교 언어교육원 행정실
사진 · 삽화: 언어교육원 교사와 가족, 한별 김종서, 이동훈, Geeth Rositsa
녹음: 언어교육원 교사, 김민희, 이병선, 최창모

국립중앙도서관 출판시도서목록(CIP)

새인하한국어 = New INHA Korean. 5 / 최권진, 남은영, 오솔샘, 정경화, 김승희 지음.
-- [인천] : 인하대학교 출판부, 2014
p. ; cm

ISBN 978-89-7407-963-5 14700 : ₩27000
ISBN 978-89-7407-961-1 (세트) 14700

한국어 학습[韓國語學習]
한국어 교재[韓國語敎材]

717.6-KDC5
495.78-DDC21 CIP2014026031

일러두기

새인하한국어5는 한국어를 배우는 외국인 학습자를 위한 교재로 총 8과로 이루어져 있으며 각 과는 '들어가기, 어휘 학습, 듣고 말하기1,2, 문법 및 표현, 읽고 말하기, 쓰기, 통합 활동, 문화 산책'으로 구성되어 있다.

들어가기는 일상생활에서 쓰이는 실제적인 주제를 간단한 그림과 사진으로 보여 줌으로써 학생들이 과에 흥미를 가질 수 있도록 하였다.

어휘 학습은 그 과에서 알아야 할 어휘로 주제와 관련된 어휘, 표현, 관용표현, 한자성어, 속담 등으로 구분하여 어휘를 활용할 수 있게 예문과 문제를 제시하였다.

듣고 말하기1은 일상생활에서 나타나는 간단한 지문으로 배운 어휘와 표현을 듣고 이해할 수 있도록 구성하였다.

듣고 말하기2는 강의, 사연, 대담 등의 다양한 듣기 상황을 제시하였으며 듣기문제는 학습자가 대화를 듣고 이해했는지 확인하는 것에 중점을 두었다.

문법 및 표현은 듣고 말하기1과 2, 읽고 말하기의 지문과 본문에 새로 등장하는 경우 짧은 설명과 예문을 통해서 학습자가 문법을 활용할 수 있도록 하였다.

읽고 말하기는 긴의문, 소설, 수필 등의 다양한 형식의 읽을거리를 제시헤서 읽기 연습과 독해 연습을 하도록 하였다.

쓰고 말하기는 각 과의 주제를 가지고 듣고 말하기2나 읽고 말하기에서 제시된 다양한 형식의 글을 써 볼 수 있도록 제시하였다.

통합 활동에서는 각 과에서 배운 어휘와 표현을 사용할 수 있도록 다양한 상황을 제시하였다. 단순한 문형연습이 아니라 실제 의사소통 상황에서 스스로 대처할 수 있게 하는 것을 목적으로 한다.

문화 산책은 각 과의 주제에서 심화된 내용을 바탕으로 한국 문화에 대한 이해를 돕기 위해 사진과 함께 문화적 설명을 넣었다.

색인에서는 각 과에서 새로 배운 표현과 어휘를 학습자들이 찾기 쉽도록 가나다순으로 정리했다. 그리고 듣기 지문을 첨부하여 학생들이 참고할 수 있도록 했다.

교재 구성표

5급	단원	주제	기능/활동(과제)	내용
1과	**이야기와 삶**	이야기	• 전래동화를 활용한 연극 • 라디오 공익광고문	• 듣기1 : 공모전 사연 • 듣기2 : 새로 쓴 토끼와 거북이 • 읽기1 : 춘향전
2과	**내가 찾는 직업**	적성과 취업	• 모의 면접 • 이력서 및 자기소개서	• 듣기1 : 교수–학생 대화 • 듣기2 : 취업 면접 상황 • 읽기1 : 모집 공고 및 자기소개서
3과	**생활 속 과학**	과학과 생활	• 인간 복제에 대해 토론하기 • 토론문	• 듣기1 : 날씨 관련 일상대화 • 듣기2 : 인간 복제 토론 • 읽기1 : 화장품 동물실험
4과	**운동과 건강**	운동	• 관심 인물 인터뷰하기 • 기사문	• 듣기1 : 일상대화 • 듣기2 : 배구 선수 인터뷰 • 읽기1 : 운동 관련 기사문
5과	**세계 속의 한류**	한국의 대중문화	• 영화평 • 시나리오 쓰기 • 단편영화 제작	• 듣기1 : 뉴스 듣고 대화하기 • 듣기2 : 라디오 통신원 소식 • 읽기1 : 소설 및 시나리오
6과	**나누는 기쁨**	나눔과 실천	• 봉사의 바른 자세와 목적에 대해 토의하기 • 사회 공헌 상장 수여하기	• 듣기1 : 기부 관련 • 듣기2 : 자원 봉사 관련 토의 • 읽기1 : 공정무역 관련 기사문
7과	**한국의 맛과 멋**	한국 음식과 문화	• 맛집 탐방 보고문 나만의 비빔밥 소개문 • 비빔밥 만들기	• 듣기1 : 한국음식 관련 대화 • 듣기2 : 라디오 대담 • 읽기1 : 맛집 탐방 보고서
8과	**언어와 문자**	한글의 독창성과 우수성	• 나만의 한국어 학습 방법 • 건의문	• 듣기1 : 일상대화 • 듣기2 : 집중 인터뷰 • 읽기1 : 한글 교육 프로그램 개설에 관한 건의문

어휘	문법 및 표현	문화
감정 및 성격 관련 어휘	V-다(가) 못해, N(이)면 N, AV-기(가) 일쑤이다, V-(으)오/소, V-ㄹ/을 턱이 없다, V-(으)리라, 주격조사 N이/가, N은/는	단군 신화
직업 관련 어휘	하게체, V-ㄴ/는다면(야), 아래와 같이 V-(으)오니, N에 한하여, V-ㄴ/은 나머지, V-(으)니/기(에) 망정이지	성격 유형 검사
과학 관련 어휘	V-기 십상이다, V-ㄴ/은/는데도 불구하고, V-게끔 N에 불과하다, N은/는 고사하고, V-되	언어 속 과학상식
운동 관련 어휘	V-ㅁ/음직하다, N도 N거니와, V-기(가) 그지없다, V-ㄴ/은/는다고 할까?	스포츠 콩글리시
감상 관련 어휘	주어 및 주격 조사 생략, V-거들랑, V-(으)리만큼, AV-자면	안티 문화
봉사 관련 어휘	V-ㄴ/는다기보다는, N이자 N이다, V-건마는, V-으/느냐에 달려있다, V-ㄴ/는다손 치더라도	한국의 수화 배우기
음식 관련 어휘	V-다마다(요), V-ㄹ/을세라, V-ㄴ/은/는지라, AV-ㄹ/을 무렵, V-ㄹ/을 여지가 없다	종로 골목의 맛과 멋
언어 관련 어휘	V-는 한이 있더라도, AV-아/어/여 주십사하다, AV-ㄴ/는 바, AV-건대, N(으)로 말미암아	유머로 배우는 한국어

차례

제1과 이야기와 삶

학습 주제
이야기

학습 목표
이야기의 기능을 이해하고 재해석하여 상대에게 전달할 수 있다.

어휘 학습
감정 및 성격 관련 어휘

듣고 말하기
공모전 사연
새로 쓴 토끼와 거북이

읽고 말하기
춘향전

쓰고 말하기
라디오 공익광고문

문법 및 표현
V-다(가) 못해, N(이)면 N
AV-기(가) 일쑤이다, V-(으)오/소
V-ㄹ/을 턱이 없다, V-(으)리라
주격조사 N이/가, N은/는

통합 활동
전래동화를 활용한 연극

문화 산책
단군 신화

1 이야기와 삶

들어가기

1. 이 상품에 감춰진 특별한 이야기를 추측해서 이야기해 보십시오.

2. 내가 가지고 있는 물건 중에서 특별한 사연이 있는 물건을 소개해 보십시오.

듣고 말하기1 501

지하철 회사에서 주최한 이야기 공모전에서 수상한 사연입니다. 잘 듣고 질문에 대답하십시오.

1. 내가 지하철을 이용하는 승객이라면 이야기를 들은 후 어떤 감정을 느낄지 아래에 표시한 후에 이야기해 보십시오.

□ 훈훈하다 □ 불쾌하다 □ 뿌듯하다 □ 행복하다 □ 민망하다

2. 이 홍보를 통해 어떤 결과를 얻게 되었는지 아래의 글을 읽고 모두 고르십시오. ( )

서울메트로 홈페이지 '고객의 소리'를 통해 스토리 홍보가 도입된 후 전동차나 역사가 한결 밝아졌다는 칭찬 민원들을 올려주셨고 스토리텔링 전문가들이 참고할 만한 전문자료를 보내 주시기도 했습니다.

① 개선점을 발견하고 시정할 수 있는 기회가 되었다.
② 고객이 회사에 대해 긍정적인 느낌을 갖게 되었다.
③ 회사와 고객 간에 소통할 수 있는 장이 열리게 되었다.
④ 회사의 매출이 홍보가 도입되기 전에 비해 증가되었다.

3. 스토리텔링을 통해 홍보를 한 다른 회사의 사례를 찾아 발표해 보십시오.

- 벌겋다
- 거들다
- 쏠리다
- 철부지
- 저절로
- 찌푸리다
- 불과

1. V-다(가) 못해

: 앞의 동작이나 상태가 매우 심해져 더 이상 지속할 수 없는 상태를 나타낸다.

- 한여름 내내 계속되는 폭염을 견디다가 못해 결국 에어컨을 구매했다.
- 배우의 익살스러운 연기에 관객들은 웃다가 못해 배꼽이 빠질 지경이었다.
- 식당에서 소란스럽게 뛰어다니는 아이들을 보고 참다가 못해 한마디 했다.

어휘 학습

1. 다음은 감정과 관련된 단어입니다. 상황에 알맞은 단어를 찾아 쓰십시오.

처량하다　야속하다　뭉클하다　허탈하다　초조하다　후련하다　의기소침하다

1) 밤을 새워 공부한 내용이 시험에서 한 문제조차 출제되지 않았다. ____________

2) 그동안 긴장하며 준비했던 발표가 드디어 끝이 났다. ____________

3) 차비가 없어서 집에 걸어가는 길에 비까지 내려 옷이 젖었다. ____________

4) 출근 시간이 다가오는데 아무리 기다려도 버스가 오지 않는다. ____________

5) 그 사람만은 나를 도와줄 것이라고 믿었는데 도와주지 않았다. ____________

6) 실력이 쟁쟁한 사람들 틈에 있다 보니 점점 자신감이 없어졌다. ____________

7) 장애라는 한계를 극복하고 의사가 된 사람의 기사를 읽었다. ____________

2. 다음에 제시된 지문을 읽고 각 사람의 성격으로 맞는 것을 고르십시오.

우직하다　나태하다　우유부단하다　사려 깊다　무모하다

1) 매 순간 노력하며 바쁘게 살아가는 사람들이 이해가 되지 않습니다. 삶을 너무 피곤 하게 사는 것 아닐까요? 편안하게 즐기며 사는 것이 좋다고 생각합니다. ____________

2) 저축만으로 목돈을 마련할 수 없다는 생각에 주식에 전 재산을 투자했습니다. 단 한 번의 기회를 통해 많은 것을 얻을 수 있다는 사실은 생각만 해도 기분이 짜릿합니다.

____

3) 상대방의 입장을 잘 생각한 후에 행동하려고 노력합니다. 나만을 고려한다면 다른 누군가에게 피해를 주는 일이 발생할 수도 있기 때문입니다.

____

4) 한 번 시작한 일은 아무리 힘들더라도 끝까지 하려고 노력합니다. 우공이산이라는 말이 있듯이 어려운 일일지라도 끝까지 해낸다면 결국 원하는 것을 이룰 수 있을 것입니다.

____

3. 다음은 사랑과 관련된 한자성어입니다. 알맞은 의미를 찾아 연결해 보십시오.

1) 일편단심 •	• 가)	두 사람이 3년 동안의 연애를 마치고 결혼을 약속했대요.
2) 백년가약 •	• 나)	한마음으로 일사불란하게 움직이는 모습이 마치 한 몸이 된 듯해요.
3) 백년해로 •	• 다)	기쁠 때나 슬플 때나 즐거울 때나 괴로울 때나 당신을 향한 내 마음은 결코 변하지 않을 것이오.
4) 일심동체 •	• 라)	90세가 넘은 할머니, 할아버지께서 평생 서로를 아끼며 지금껏 살아오신 모습이 참 부럽네요.

4 다음은 감정과 관련된 관용표현입니다. 빈칸에 알맞은 표현을 찾아 쓰십시오.

애간장을 태우다	간이 콩알만 해지다	목이 메다
두 다리를 뻗다	하늘이 무너지다	

1) 어두운 골목길을 혼자 걷다 보니 무서운 마음에 ______________________.

2) 다시 그 사람을 만날 수 없다는 생각을 하니 ______________________.

3) 평생 동안 일궈 온 사업이 실패하자 ______________________는 심정이었다.

4) 잘못이 들통 날까 봐 마음이 불편해 ________________ 잠을 잘 수가 없었다.

5) 큰 지진으로 인해 가족들과의 연락이 두절되자 많은 사람들이 __________ 기다렸다.

읽고 말하기

조선 시대 숙종 임금 때 전라도 남원에 춘향이라는 여인이 살고 있었다. 춘향은 일찍 기생을 그만두고 양반의 첩이 된 월매의 딸이었다. 춘향은 비록 천민의 신분이었지만 글재주면 글재주, 바느질이면 바느질 등 온갖 재주를 겸비한 데다가 빼어난 용모 못지않게 아름다운 마음씨를 지니고 있었다. 어느덧 춘향이 열여섯 살 되던 해에 이 씨 성의 사또가 남원으로 부임했다. 그 사또에게는 몽룡이라는 아들이 하나 있었다.

어느 봄날, 몽룡은 방자를 데리고 광한루에 올라가 봄 기운이 가득한 경치를 내다보며 시를 읊고 있었다. 문득 건너편 숲 사이로 그네가 하늘 높이 솟아오르는 것을 보았는데 치마폭을 하늘하늘 날리며 그네를 타고 있는 여인이 보였다. 어찌나 아름다운지 몽룡의 가슴은 두근두근 뛰었고 두 뺨은 금세 붉게 달아오르는 것이 아닌가. 춘향에게 한눈에 반해 버린 몽룡은 방자를 보내어 만남을 청하였으나 춘향은 몽룡을 만나는 것이 도리에 어긋난 행동이라 여겨 청을 거절하였다.

그네를 타던 춘향의 모습이 눈앞에 아른아른하여 견딜 수 없었던 몽룡은 방자를 다시 춘향의 집으로 보내어 정중하게 만남을 청하였다. 월매는 지난 밤 꿈에서 청룡을 보아 좋은 일이 생기려나 보다 했는데 사또 자제의 이름이 꿈 몽(夢) 자, 용 룡(龍) 자라고 하니 이것도 인연이 아니겠냐면서 춘향을 설득했다. 이로써 두 사람은 사랑에 빠지게 되었고 백년가약을 맺게 되었다.

그러던 어느 날 몽룡은 부친이 승진하여 서울로 올라가야 한다는 ㉠청천벽력과 같은 소식을 듣게 되었다. 집안의 경사에도 불구하고 춘향과 헤어져야 한다는 사실에 몽룡의 가슴은 이내 찢어질 듯이 아파왔다. 이 사실을 알게 된 춘향의 눈에도 눈물이 그렁그렁 맺혔다. 몽룡은 장원 급제하여 춘향을 데리러 오겠다는 약속을 남기고는 부친을 따라 서울로 올라가게 되었다.

그 후에 남원에는 변학도라는 사또가 새로 부임해 왔다. 그는 고을을 돌보는 일은 뒷전이었고 관에 등록된 기생들을 불러 잔치를 벌이기 일쑤였다. 하루는 남원에 미모가 아주 빼어난 춘향이라는 인물이 있다는 소문을 듣게 된 변사또가 춘향을 관아로 데려오라는 명령을 내렸다. 변사또는 춘향에게 수청을 강요했지만 춘향은 목숨을 걸 각오로 이를 거절했다. 이에 변사또는 크게 노하며 춘향을 모질게 고문하고 옥에 가두었다. 그리고는 다가오는 자신의 생일날까지 춘향이 수청을 거절할 경우 춘향에게 사약을 내리기로 했다.

- 신분
- 빼어나다
- 용모
- 부임하다
- 읊다
- 문득
- 치마폭
- 하늘하늘
- 달아오르다
- 아른아른
- 정중하다
- 부친
- 청천벽력
- 찢어지다
- 그렁그렁
- 고을
- 뒷전
- 노하다
- 모질다
- 고문하다
- 옥
- 사약

한편, 춘향과 이별한 지 3년 만에 과거 시험에 장원 급제한 이몽룡은 암행어사로 전라도에 파견되었다. 백성들의 생활을 살피고 관리들이 그 지역을 잘 다스리고 있는지 감찰하기 위해 신분을 밝힐 수 없었던 몽룡은 허름하기가 거지꼴과 흡사한 옷차림을 한 채로 남원으로 내려갔다. 춘향을 생각하는 마음에 먼 길도 한달음에 올 수 있었지만 남원에서는 변사또의 횡포와 춘향에 대한 소문이 퍼져 몽룡의 귀에까지 들려왔다. 몽룡은 춘향의 하인인 향단을 만나 춘향이 갇힌 감옥에 찾아갔다. 춘향은 몇 년 만에 꿈에 그리던 몽룡을 만나고서 이것이 꿈인지 생시인지 구분하기가 어려웠다. 초라한 행색의 몽룡을 원망하기는커녕 반가운 마음에 하염없이 눈물만 흘릴 뿐이었다. 이를 바라보면서도 기쁜 소식을 전할 수 없었던 몽룡의 마음은 한없이 타들어가는 듯했다.

날이 밝자 관아에서는 사또의 생일잔치를 성대하게 준비하는 손길로 분주하고 떠들썩했다. 잔치 분위기가 한창 무르익을 무렵에 변사또는 춘향을 불러와 마지막으로 수청을 강요하였다. 춘향이 이제는 죽겠구나 생각하는 바로 그 순간 암행어사 출두를 외치는 소리가 여기저기서 들려왔고 관아는 순식간에 아수라장으로 변했다. 몽룡은 변사또를 파직하고 춘향과 감격적인 재회를 하였다.

그 후에 소문을 들은 임금은 춘향의 정절을 높이 평가하여 천민이라는 신분에서 벗어나게 해 주었다. 몽룡은 춘향을 한양으로 데려가 본부인으로 삼고 백년해로하였으니 모든 사람들이 이를 부러워하며 춘향의 굳은 절개를 본받고자 하였다.

1. 이 이야기의 시대적 배경은 언제입니까?

2. 이 이야기의 주제는 무엇입니까?

3. 춘향전의 내용으로 맞는 것을 모두 고르십시오. (　　　　)

① 춘향과 이몽룡은 신분의 차이를 끝내 극복하지 못했다.

② 이몽룡은 남원을 떠나기 전에 춘향과 한 약속을 지켰다.

③ 춘향은 이몽룡이 자신을 구해줄 것을 이미 알고 있었다.

④ 힘없는 백성을 괴롭히던 변사또는 결국 처벌을 받게 된다.

- 장원
- 급제하다
- 백성
- 감찰하다
- 허름하다
- 거지꼴
- 흡사하다
- 한달음
- 초라하다
- 행색
- 타들어가다
- 분주하다
- 무르익다
- 출두
- 아수라장
- 파직하다
- 재회하다
- 정절
- 천민
- 절개

4. ㉠의 의미가 무엇인지 써 보십시오.

5. 춘향전의 줄거리를 요약하여 정리해 보십시오.

춘향과 이몽룡은 사랑에 빠지게 되었고 백년가약을 맺음.

1) 그러던 어느 날, 이몽룡은 ______________________________

2) 새로 부임한 변사또는 ______________________________

3) 한편, 이몽룡은 ______________________________

4) 변사또의 생일날 ______________________________

5) 그 후에 이몽룡은 ______________________________

6. 현대인의 사랑에서 나타나는 갈등과 해결 방법은 춘향전에서 나타난 것과 어떤 공통점과 차이점이 있는지 이야기해 보십시오.

문법 및 표현

1. N(이)면 N

: 예로 드는 것마다 모두 어떠하다는 것을 말할 때 사용한다.

- 그 배우는 연기면 연기, 노래면 노래, 부족한 점이 하나도 없네요.
- 평일이면 평일대로, 주말이면 주말대로 바쁘지 않은 날이 하루도 없어요.

2. AV-기(가) 일쑤이다

: 어떤 일이 자주 일어남을 나타내며 주로 부정적인 상황에 사용한다.

- 환절기가 되면 일교차가 큰 날씨로 인해 감기 환자가 늘어나기 일쑤이다.
- 시험 기간이 다가오면 학생들은 과제와 시험 준비로 밤샘을 하기가 일쑤였다.
- 사전에 충분히 준비하지 않으면 실전에서 당황하여 실수를 저지르기 일쑤이다.
- 재석이는 귀가 얇아서 손해를 보기 일쑤이니 이를 어쩌면 좋을까?

3. V-(으)오/소

: 말하는 사람과 나이가 비슷한 사람이나 그보다 아랫사람을 조금 높여서 말할 때 사용한다.

- 하늘이 참 맑으오!
- 그리 하라고 이르지 않았소?
- 방문하시는 손님들을 위해 다과를 준비하시오.
- 잠깐 시간을 내어 부모님 댁에 방문하려고 하오.

※ 춘향전의 한 장면을 골라 격식에 맞는 표현을 사용하여 역할극을 해 보십시오.

예) 이몽룡 : 당신을 한 번도 잊어본 적이 없소.
춘향 : 저도 그렇습니다. 그동안 어떻게 지내셨습니까?

듣고 말하기2 502

1. 이 이야기의 주제는 무엇입니까?

2. 이 이야기의 내용으로 알맞은 것을 고르십시오. (　　　　)

① 토끼는 거북이가 느리다는 사실에 슬퍼했다.

② 토끼와 거북이는 경주의 목적이 서로 달랐다.

③ 거북이는 경주에서 토끼를 이기고 나니 통쾌했다.

④ 토끼는 사람들의 잘못된 평판으로 인해 억울해했다.

3. 토끼와 거북이의 원작 내용을 이야기해 보십시오.

4. 이 글의 내용을 원작의 내용과 비교하여 정리한 후에 이야기해 보십시오.

질문 \ 작품	원작 토끼와 거북이	거북이를 사랑한 토끼
1) 경주를 시작한 동기는 무엇입니까?		
2) 토끼와 거북이의 성격은 어떤 차이점이 있습니까?		
3) 경주의 결과는 어떻게 되었습니까?		
4) 이 글을 통해 얻을 수 있는 교훈은 무엇입니까?		

- 의기소침
- 투지
- 불끈
- 한없이
- 드넓다
- 초원
- 차오르다
- 저만치
- 영문
- 자만하다
- 낙인
- 질책
- 묵묵히
- 감수하다

5. 토끼와 거북이처럼 기존의 이야기를 새롭게 구성한 이야기를 찾아 발표해 보십시오.

문법 및 표현

1. V-ㄹ/을 턱이 없다

: 일반적으로 볼 때 가능성이 전혀 없다고 생각하는 일에 사용한다.

- 겉으로 표현하지 않으니 그 속마음을 알 턱이 있나?
- 스스로 하기 꺼려하는 일이라면 남에게도 이로울 턱이 없다.
- '아니 땐 굴뚝에 연기 날까?' 라는 속담이 있듯이 아무 근거 없이 소문이 났을 턱이 없다.

2. V-(으)리라

: 말하는 사람의 강한 의지나 결심을 나타내거나 추측을 나타낼 때 사용한다.

- 실패하는 한이 있더라도 중도에 포기하지는 않으리라.
- 지금은 비록 형편이 어렵지만 쥐구멍에도 볕들 날이 오리라.
- 그 사람의 행색으로 보아 외국에서 온 여행객이리라 생각했다.
- 안전에 주의를 기울인다면 급작스러운 사고를 미연에 방지할 수 있으리라 본다.

3. 주격 조사 N이/가, N은/는

1	N이/가	처음 언급하는 내용이나 새롭게 알게 된 내용일 때 예) 옛날에 토끼와 거북이가 살고 있었습니다.
	N은/는	이미 언급된 내용이나 말하는 사람과 듣는 사람이 알고 있는 내용일 때 예) 옛날에 토끼와 거북이가 살고 있었습니다. 그 토끼는 거북이를 무척 사랑했습니다.
2	N이/가	주어를 강조할 때 예) 그 분이 저의 선생님이십니다.
	N은/는	뒤에서 설명하는 내용을 강조할 때 예) 그 분은 저의 선생님이십니다. 예) 내일은 날씨가 맑고 화창하겠습니다.
3	N이/가	여러 개 중에 하나를 강조하여 가리킬 때 예) 최수지 씨는 눈이 예뻐요.
	N은/는	다른 대상과 비교하거나 대조할 때 예) 최수지 씨가 눈은 예뻐요. (다른 곳은 예쁘지 않아요.) 예) 왕루는 인천에 살지만 아시프는 서울에 산다.
4	N이/가	1) 문장 속에 있는 또 다른 문장의 주어로 사용할 때 예) 이것은 남자친구가 선물한 반지예요. 2) '누구, 어디, 무엇'과 같은 의문사로 사용할 때 예) 누가 경주에서 이겼을까요?
	N은/는	1) 자기 소개할 때 예) 안녕하세요. 저는 아시프입니다. 2) 사실이나 반복되는 일 등에 대해 설명하거나 정의내릴 때 예) 나는 매일 아침마다 집 근처 공원에서 운동을 한다. 예) 역사는 과거의 사건이 역사가에 의해 기록된 것이다.

※ 다음은 토끼와 거북이에 관한 전래동화입니다. 'N이/가', 'N은/는'을 사용하여 이야기를 완성해 보십시오.

옛날에 깊은 바닷속에 용왕님( ) 살고 있었습니다. 용왕님( ) 큰 병을 앓고 있었는데 토끼의 간을 먹으면 나을 것이라는 이야기를 듣게 되었습니다. 누가 토끼의 간을 구해올 것인지 회의를 하는데 거북이( ) 손을 번쩍 들며 자신( ) 용왕님을 위해 다녀오겠다고 했습니다. 육지에서 토끼를 만난 거북이( ) 용궁에 가면 큰 재물을 얻게 될 것이라고 토끼를 설득했습니다. 토끼( ) 가만히 이야기를 듣고 냉큼 거북이를 따라 나섰습니다. 용궁에 간 후에야 토끼( ) 자신의 목숨( ) 위험하다는 것을 알게 되었습니다. 그래서 한 가지 꾀를 내었습니다. 자신의 간을 탐내는 사람들( ) 많아서 산 속 깊이 숨겨 놓았다고 말했습니다. 용왕( ) 할 수 없이 토끼를 다시 육지로 보내어 간을 찾아오도록 했습니다. 그러나 육지에 도착하자마자 토끼( ) 깡충깡충 도망가 버렸고 다시( ) 돌아오지 않았습니다.

쓰고 말하기

아침 식사 하셨나요?

어렸을 적 엄마는 아침을 먹지 않으면 학교에 보내지 않겠다고 으름장을 놓고는 하셨습니다. 그 당시에는 학교에 늦을까봐 초조해하며 엄마와 실랑이를 벌였고 한사코 밥 한 술이라도 떠먹이려는 엄마의 마음이 이해되지 않았습니다. 가족과 떨어져 홀로 자취 생활을 하는 지금은 아침에 눈을 뜨면 차려져 있던 따뜻한 엄마의 밥상이 그립습니다. 매일 아침에 차려주신 엄마의 밥상 덕분에 지금의 건강한 제가 되지 않았을까요? 여러분도 아침 식사로 오늘 하루를 힘차게 시작해 보시는 것은 어떠신가요? 아침 식사, 거르지 마세요.

1. 생활 속에서 꼭 알아야 할 상식이나 변화가 필요한 습관에 대해서 생각해 보십시오.
   - □ 바른 자세의 중요성
   - □ 휴대 전화의 사용 줄이기
   - □ 바른 말 고운 말 사용하기
   - □ 하루 30분 이상 걷기 운동
   - □ 가족 간의 대화 시간 만들기
   - □ ____________________

2. 글을 읽는 사람의 생각과 행동을 변화시킬 수 있는 이야기를 구성해 보십시오.

제목	
직접적 혹은 간접적 경험	
유익한 점	
나의 주장	

통합 활동

토끼와 거북이의 내용을 각색하여 줄거리를 간단하게 써 보십시오.

등장인물	
줄거리	

1. 각색한 내용을 참고하여 대본을 만들어 보십시오.

2. 역할을 정해서 연습한 후 연극을 발표해 보십시오.

문화 산책

한반도 최초의 국가 고조선의 건국 신화, 단군 이야기

하늘의 신 환인에게는 환웅이라는 아들이 있었는데 그는 인간 세상에 내려가 살기를 간절히 원했습니다. 환웅은 환인의 허락을 받아 비, 바람, 구름을 주관하는 신하와 무리 3000명을 데리고 태백산 자락으로 내려왔습니다. 그는 곡식, 수명, 질병, 형벌, 선악 등 인간의 삶에 필요한 360가지 일을 주관하며 널리 인간을 이롭게 한다는 홍익인간(弘益人間)의 이념으로 세상을 다스렸습니다.

하루는 곰 한 마리와 호랑이 한 마리가 환웅을 찾아와 인간이 되게 해 달라고 간절히 부탁했습니다. 환웅은 이들에게 쑥 한 자루와 마늘 스무 쪽을 주면서 100일 동안 이것을 먹으며 햇빛을 보지 않는다면 사람이 될 것이라고 했습니다. 그날부터 곰과 호랑이는 빛이 들지 않는 동굴에서 쑥과 마늘을 먹으며 하루하루를 견뎠습니다. 곰은 잘 인내하여 여자의 몸이 되었으나 호랑이는 참지 못하고 동굴 밖을 뛰쳐나가 결국 사람이 되지 못했습니다.

사람이 된 곰 웅녀는 매우 기뻤지만 아무도 그녀와 결혼하려고 하지 않았습니다. 그래서 혼인하여 아이를 갖게 해 달라고 날마다 신단수에 빌었습니다. 이를 알게 된 환웅은 잠시 인간으로 변하여 웅녀와 결혼하였고 아들을 낳았습니다. 이 아이가 바로 고조선의 첫 번째 임금인 단군입니다.

단군 신화의 배경

한반도에 청동기 문화가 발달하면서 세력이 강한 부족은 주변의 사회를 통합하며 권력을 강화했습니다. 이 중에서 환웅 부족은 하늘의 후손임을 내세우며 다른 부족을 지배하려 하였습니다. 환웅이 북쪽에서 이주해 온 부족이라면 곰과 호랑이를 숭배하는 부족은 태백산 지역에서 오래전부터 살고 있던 토착민이었습니다. 청동기로 무장한 환웅 부족이 태백산 지역으로 내려오자 이들은 쫓겨나지 않기 위해 타협을 시도한 것으로 추측됩니다.

그 결과 환웅 부족은 곰을 숭배하는 부족과 결합하여 기원전 2333년에 고조선을 건국하였습니다. 고조선은 농경 사회가 바탕이 되었는데 이는 농사를 짓는 데 반드시 필요한 비, 바람, 구름을 담당하는 신하가 있었다는 것을 보면 알 수 있습니다. 또한 태백산 지역의 지형은 뒤로는 산으로 둘러싸여 있고 앞으로는 강이 흐르며, 햇빛이 충분히 들어오는 농사짓기에 아주 좋은 조건이었습니다.

개천절(開天節)

한국에서 매년 10월 3일 개천절은 고조선을 건국한 날을 기념하는 국경일입니다. 이 날은 환웅이 하늘의 뜻을 받아 처음으로 하늘의 문을 열고 태백산에 내려와 세상을 다스리기 시작한 날입니다. 이 날을 기념하기 위해 옛날부터 강화도의 마니산의 참성단에서는 제천의식이 행해지고 있습니다.

제2과 내가 찾는 직업

학습 주제
적성과 취업

학습 목표
취업에 관한 정보를 나누고 이야기 할 수 있다.

어휘 학습
취업 관련 어휘

듣고 말하기
교수-학생의 대화
취업 면접 상황

읽고 말하기
모집공고문

쓰고 말하기
이력서 및 자기소개서 쓰기

문법 및 표현
하게체, V-ㄴ/는다면야, 아래와 같이
V-(으)오니, N에 한하여, V-ㄴ/은 나머지
V-(으)니/기(에) 망정이지

통합 활동
모의 면접

문화 산책
성격유형 검사

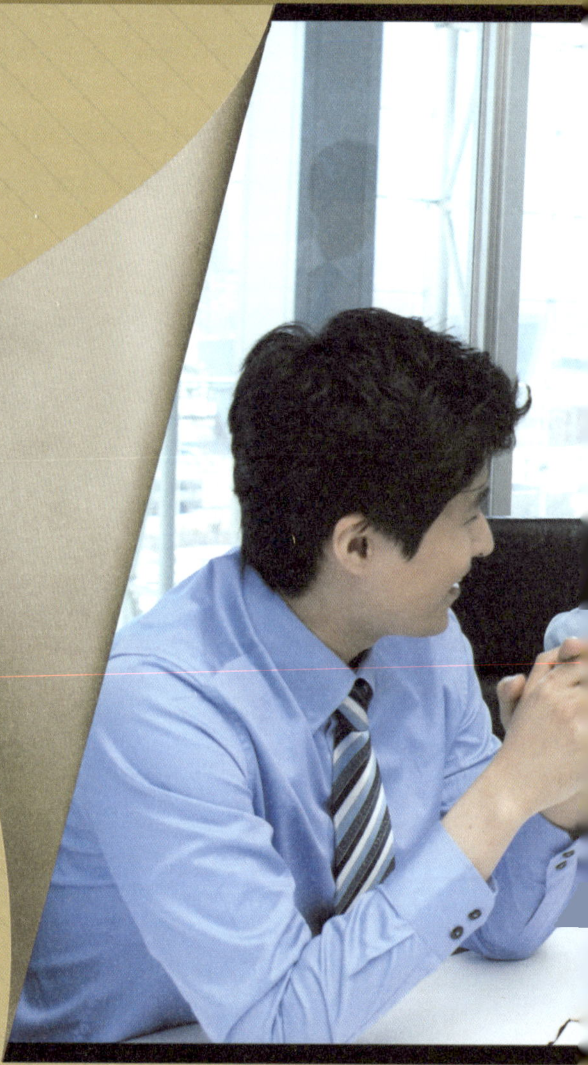

Nov. 6, 2010
MARKETING
SWOT ANALYSIS
CONSUMER'S :
① WANTS
② NEEDS
10%
20s-30s
50%
teens

2 내가 찾는 직업

들어가기

1. 취업 준비 시 가장 어려운 점은 무엇이라고 생각합니까?

2. 10년 후에는 어떤 직업이 유망할지 함께 생각해 보십시오.

듣고 말하기1 503

두 사람이 취직에 대해 이야기하고 있습니다. 잘 듣고 질문에 대답하십시오.

1. 로빈 씨가 교수님을 찾아뵌 이유가 무엇입니까?
2. 들은 내용에 대해서 알맞은 것을 고르십시오. (   )
   ① 흐엉은 매사에 부정적이다.
   ② 흐엉은 중국 유학을 준비하려고 한다.
   ③ 로빈은 올해 초 인하그룹에 입사하였다.
   ④ 로빈은 취직을 위해 교수님의 추천서가 필요하다.

3. 만약 여러분이 교수님께 진로에 대해 상담을 받거나 취업을 위해 추천서를 부탁드리려고 한다면 어떻게 부탁을 드릴 것인지 이야기해 보십시오.

1. 하게체

: 어른이 아랫사람에게 이야기할 때 쓰는 표현이다.

	형대	예문
서술형	V-네	김 군, 오늘은 내가 일정이 있네.
의문형	AV나? / DV(으)ㄴ가?	서 군, 어디 가는 길인가? 혹시 도서관에 가나?
명령형	AV-게	자네 먼저 거기 가 있게.
청유형	AV-세	박 서방, 이번 주는 집으로 와서 같이 등산을 하세.
감탄형	V-네	오늘따라 당신 참 곱네.

2. V-ㄴ/는다면야

: 앞 문장의 상황이라고 가정한다면 당연히 뒷문장의 상황이 나타날 때 사용하는 표현이다.

- 날씨가 나쁘지만 않다면야 농구시합은 예정대로 진행될 겁니다.
- 일회용품 사용을 줄이기만 한다면야 당연히 지구를 지킬 수 있다.
- 우리 학교 학생이라면야 당연히 이번 대회에 지원 가능합니다.

- 한결
- 실은
- 이직
- 분야
- 선의

어휘 학습

1. 다음을 읽고 관계있는 설명과 연결하십시오.

1) 공채 •	• 가)	어떤 회사에 들어가서 일하기 시작함
2) 취업하다 •	• 나)	어떤 조건을 가지고 있는 사람을 필요로 할 때 그 조건을 널리 알림
3) 홍보 •	• 다)	공개적으로 사람을 모집하는 것
4) 영업 •	• 라)	어떤 것을 잘 팔리게 하거나 또는 잘 파는 것
5) 서류 전형 •	• 마)	어떤 것을 널리 알리는 일
6) 필기시험 •	• 바)	주식을 보유하고 있는 회사
7) 주식회사 •	• 사)	문서로만 평가하는 방법
8) 모집공고 •	• 아)	응시자가 제출한 서류를 바탕으로 하여 후보자의 적격성을 가려내는 시험의 방법

2. 다음은 취직을 위해 필요한 서류들입니다. 무엇에 대한 것인지 이야기해 보십시오.

1	주민등록등본	2	성적증명서	3	자기소개서
4	졸업증명서	5	입사지원서	6	이력서

3. 다음에서 알맞은 것을 골라 문장을 완성하십시오.

가뭄에 콩 나다　　　찬물을 끼얹다　　　잔뼈가 굵다　　　눈 밖에 나다

1) 소란스럽던 실내는 그녀의 바르지 못한 행동으로 ______________________ 일순간 침묵이 흘렀다.

2) 최근 우리 사회의 고령화 현상은 심각한 사회 문제로 대두되고 있음에도 불구하고 노인 문제를 다룬 기사는 ______________________ 찾기 어렵다.

3) 33년 간 구두만을 보고 살아 온 그는 이 분야에서만큼은 ______________________ 사람이다.

4) 그 선배는 항상 말과 행동이 달라 결국 주변 사람들의 ______________________.

4. 다음의 한자성어를 관계있는 말과 연결해 보십시오.

1) 상전벽해 •	• 가)	그는 일을 거창하게 시작하지만 결국 마무리를 잘 짓지 못하는 편이다.
2) 용두사미 •	• 나)	내가 상대방을 이해할 수 없다면 상대방도 나를 이해할 수 없을 것이다.
3) 학수고대 •	• 다)	10년 만에 다시 찾은 고향은 예전의 모습은 찾아 볼 수 없을 정도로 변해 있었다.
4) 역지사지 •	• 라)	미국에 사는 친구가 10년 만에 한국에 돌아온다고 한다. 그래서 나는 친구가 온다고 한 날만 기다리고 있다.

읽고 말하기

신입 객실 여승무원 모집 안내(국제/국내선)

세계 항공 업계를 선도하는 인하항공에서 기내 안전, 서비스 업무를 수행할 국제선 및 국내선 객실 여승무원을 아래와 같이 모집하오니 많은 지원 바랍니다.

1. **지원서 접수 기간** : 20XX년 8월 1일 ~ 8월 30일
2. **지원서 접수 방법**

   인하항공 채용 홈페이지(recruit.inhaair.co.kr)를 통한 인터넷 접수

   ※ 우편, 방문 접수 및 E-mail을 통한 접수는 실시하지 않습니다.
3. **지원 자격 수준**
   - 전문학사 이상 학위 보유자(8월 졸업 예정자 포함) 또는 원서 접수 시 4년제 대학 2년 이상 수료한 자
   - 전공 제한 없으며, 학업 성적 우수하고 해외여행에 결격사유가 없는 자
   - 국제선 객실승무원의 경우 토익 550점 이상 취득한 자 (단, 2년 이내 국내정기시험에 한함)
   - 신장 162cm 이상 교정시력 1.0 이상인 자
4. **전형 절차**

   서류전형→1차 면접→영어구술 및 2차 면접→직무적성검사→최종면접→건강진단 체력시험(수영 포함)
5. **제출 서류(최종 면접 전형 시 제출)**
   - 영어능력시험 성적표 원본 1부
   - 최종학교 성적증명서 원본 1부
   - 졸업 예정 또는 재학 증명서 1부
   - 기타 서류 및 자격증 사본 (소지자에 한함 1부)
6. **기타 사항**
   - 국제선 객실승무원은 2년간의 인턴 근무 후 소정의 심사를 거쳐 정규직으로 전환 가능합니다.
   - 국내선 객실승무원은 1년간의 인턴으로 근무 후 소정의 심사를 거쳐 계약 연장 가능합니다.

- 선도하다
- 수행하다
- 학사
- 학위
- 보유자
- 결격사유
- 취득하다
- 교정시력
- 소지하다
- 소정
- 거치다
- 일체

- 상기 일정은 회사의 사정에 따라 변경될 수 있으며 개별적으로 연락을 드립니다.
- 제출된 서류는 채용 목적 이외에는 사용하지 않으며 일체 반환하지 않습니다.

7. 문의처

인하항공 인재개발실 (E-mail: recruitinhaair@inhaair.co.kr)

자기소개서

성장 배경

10대의 시절을 되돌아봤을 때 저에게 가장 떨렸던 순간은 전학을 가게 되어 처음 만난 친구들 앞에서 자기소개를 했던 시간이었습니다. 저는 초등학교 때 한 번, 중학교 때 한 번, 고등학교 때 한 번, 부모님을 따라 이사를 가게 되면서 익숙한 장소와 정든 친구들을 떠날 수밖에 없었습니다. 새로운 환경에 잘 적응할 수 있을 것인지에 대한 막연한 두려움으로 새 학교에 가기 전 날 밤은 잠이 쉽게 오지 않았습니다. 그 당시에는 낯선 환경에 적응하는 일이 저에게 가장 큰 고민거리였으나 그런 두려움을 극복해 낸 후로부터는 긍정적인 변화가 생겨났습니다 다양한 사람들을 만나면서 사람들과 관계를 맺는 방식을 배워 나갔고 먼저 마음을 열고 누군가에게 다가갈 수 있는 사람이 되었습니다.

성격 소개

한번 시작한 일은 끝까지 마무리하려고 하는 책임감 있는 성격입니다. 물론 일을 하다 보면 실패에 대한 두려움으로 포기하고 싶어질 때도 있습니다. 하지만 실패하더라도 과정 안에서 최선을 다한 사람에게는 그 일을 통해 얻을 수 있는 것들이 분명히 있다고 생각합니다. 중간에 포기한다면 결과를 통해 얻게 될 보람은 물론이고 과정을 통해 얻게 될 수많은 장점도 함께 잃어버리게 될 것이므로 맡은 일을 끝까지 해 내는 것은 저 자신을 위해서도 매우 중요합니다. 특히 승무원은 승객들에게 양질의 서비스를 제공하는 것뿐만 아니라 위급한 순간에 생명을 책임지고 대처해야 하는 의무도 있습니다. 어떤 상황에서도 포기하지 않고 임무를 끝까지 완수하는 자세는 승무원에게 필수적인 자세라고 생각합니다.

- 양질
- 위급하다
- 완수하다

학창 시절 및 경력 사항

대학교에 다니는 동안 승무원의 꿈을 이루고자 필요한 것들을 하나씩 준비해 나갔습니다. 우선 영어영문학과에서 공부하며 영어 회화 실력을 늘리기 위해 꾸준히 노력했고, 중국어도 함께 공부하여 중국어능력시험 중급에 합격했습니다. 6개월간 교환학생으로 미국에 가서 대학교에서 배운 내용을 적용하고 점검해 볼 수 있었고 새로운 문화에 적응하는 경험도 할 수 있었습니다. 또한 매일 아침마다 달리기나 테니스로 규칙적인 운동을 하면서 장시간 비행을 하는 승무원에게 필요한 체력과 끈기를 길렀습니다. 주말에는 공연장에서 안내를 하는 아르바이트를 통해 좋은 서비스를 제공하는 데 필요한 자세를 익혔습니다. 그리고 방학에는 이렇게 모은 용돈으로 국내와 해외에 여행을 다니면서 새로운 문화를 접하고 각 지역의 다양한 사람들과 교제하며 세상을 보는 안목을 넓혀 나갔습니다.

지원 동기 및 입사 후 포부

대학 시절 태국으로 여행을 가려고 탄 비행기 안에서 문득 이런 생각이 들었습니다. 내 옆에 앉아 있는 사람은 왜 이 비행기를 탔을까? 저는 용기를 내어 말을 건넸고, 그 사람은 귀찮아하는 내색 없이 태국에 가는 이유와 자신의 꿈에 대한 이야기를 해 주었습니다. 이야기를 듣고 난 후에 꿈을 위해 도전하는 사람들이 모여 있는 공간이 비행기라는 생각을 하게 되었습니다. 그리고 용기 있게 꿈을 향해 첫 발걸음을 뗀 사람들을 편안한 미소와 따뜻한 말 한마디로 맞이하며 안전하게 목적지까지 안내하는 승무원의 역할이 큰 가치가 있다는 것을 깨닫게 되었습니다.

귀 항공사는 양질의 서비스와 기술을 갖추고 있어 국내외 고객들의 신뢰를 받고 있는 회사로 알고 있습니다. 귀사에서 제 꿈을 펼칠 기회가 주어진다면 단 하나의 서비스를 제공하더라도 한결같은 자세로 고객에게 신뢰와 감동을 전할 수 있도록 최선을 다하는 승무원이 되도록 하겠습니다.

- 점검하다
- 끈기
- 교제하다
- 내색

1. 다음 중 이 글과 일치하는 내용을 고르십시오. (　　　　)

① 위의 글은 신입 및 경력자를 모집하는 안내문이다.

② 위의 채용 모집 절차에는 체력 평가도 포함되어 있다.

③ 위의 모집 공고는 정규직 승무원을 채용하는 안내이다.

④ 지원서는 홈페이지에서 다운로드 받아서 우편으로 보내면 된다.

2. 인하그룹에 지원하기 위해 제출해야 할 서류가 아닌 것을 고르십시오. (　　　　)

① 영어능력시험 성적표 사본 1부

② 응급구조사자격증 2급 사본 1부

③ 최종 졸업학교 성적 증명서 원본 1부

④ 졸업 증명서 또는 재학증명서 원본 1부

3. 다음 중 모집 공고를 보고 지원 가능한 사람은 누구입니까? (　　　　)

① 진오(남), 8월 대학교 졸업 예정, 시력1.0, 영어능통, 키 180cm

② 미숙(여), 전자공학과 3학년 재학, 시력 1.5, 영어능통, 키 159cm

③ 은지(여), 대학교 졸업, 교정 시력 1.5, 영어 및 일본어 능통, 키 168cm

④ 혜교(여), 전문대 중퇴, 시력 1.2, 영어, 중국어, 독일어 능통, 키 165cm

4. 다음 중 자기소개서의 내용과 일치하는 것을 고르십시오. (　　　　)

① 학창 시절에 문제를 일으켜 전학을 다녔다.

② 나의 꿈은 언젠가 다시 태국을 방문하는 것이다.

③ 승무원의 가장 필요한 조건은 서비스 정신이라고 생각한다.

④ 이전에는 새로운 환경에 적응하는 것을 두려워했으나 지금은 그렇지 않다.

5. 아래의 모집공고문을 보고 인사 담당자라면 어떤 사람을 채용하고 싶은지 이야기해 보십시오.

인하은행 신입사원 모집 공고

문의 전화 : 032-123-1234

저희 은행에서는 새로운 인재를 아래와 같이 모집하오니 많은 지원 바랍니다.

모집 부분 : 법인 영업
채용 인원 : O명

인하쇼핑몰 경력사원 모집

채용인원 : OO명
기타 문의 : inhamall@inha.com

모집 부분 : 촬영, 구매, 상담, 피팅 모델 등
모집 기간 : 연중 상시모집

이름 : 이익섭
나이 : 34세, 남
최종학력 :
한국대 경영학
근무경력 :
한국은행 5년 근무

이름 : 김누리
나이 : 24세, 여
최종학력 :
충성대 영어영문
근무경력 : 없음
특이사항 :
중국어 능통

이름: 송지선
나이: 21세, 여
최종학력 :
인하고등학교
근무경력 :
990마트 3년 근무
특이 사항 :
인터넷 얼짱 출신

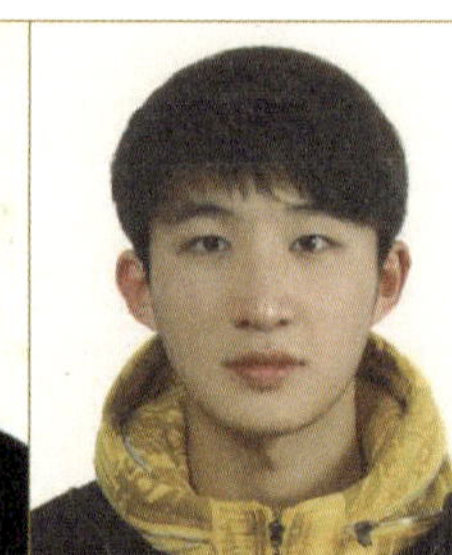

이름 : 박혁수
나이 : 27세, 남
최종학력 :
인하대 아태물류학
근무경력 :
인하은행 인턴 1년
학교 홍보 모델 6개월
특이 사항 :
영어, 중국어 능통

문법 및 표현

1. 아래와[위와, 다음과] 같이

: 글 따위에서 뒤에 오는 내용 등을 제시할 때 사용한다.

- 문의하신 미국 여행 일정을 아래와 같이 잡아 보았습니다.
- <한국어교육학 연구> 제33집 원고를 다음과 같이 모집합니다.
- 소설가 박완서의 마당에는 사랑 이야기가 다음과 같이 등장한다.

2. V-(으)오니

: 'V-(으)니'와 마찬가지로 이유를 나타내는 표현으로 주로 공식적인 상황에서 쓰인다.

- 요청한 자료를 아래와 같이 발급하오니 확인해 주시기 바랍니다.
- 극심한 정보 유출로 인해 당분간 사진과 자료 첨부가 불가능하오니 양해해 주십시오.
- 아래 내용은 2017년 신입 사원 채용 시 적용되었던 사항이오니 참고하시기 바랍니다.

3. N에 한하여

: N의 범위에 국한되어 '어떤 조건이나 범위에 제한되어'의 의미를 가진다.

- 본 할인 쿠폰은 당일에 한하여 유효함.
- 이번 학회의 참석자에 한하여 선물을 드리고 있습니다.
- 선착순 10명에 한하여 2개월 치 교재를 무료로 증정해 드립니다.
- 이번 달 말까지 구매 고객에 한하여 언제든 이용 가능한 무료 메이크업 이용권을 증정합니다.

듣고 말하기2 504

1. 다음을 듣고 면접관은 어떤 질문을 했는지 간단하게 요약해 쓰십시오.

첫 번째 질문	간단한 자기소개
두 번째 질문	1)
세 번째 질문	2)
네 번째 질문	인하그룹에 지원한 이유
다섯 번째 질문	3)

2. 두 학생은 자신의 성격의 장·단점을 어떻게 말했는지 다음에서 골라 말해 보십시오.

적응력이 뛰어나다	배려심이 많다	대인관계가 좋다
사소한 일을 잊어버린다	인정이 많다	성격이 급하다
우유부단하다	책임감이 있다	잘 투덜거린다

- 희한하다
- 인연
- 대자연
- 외교관
- 능통하다
- 간략하다
- 몰두하다
- 스스럼없다
- 공/사

3. 다음 중 로빈이 말한 내용은 O, 흐엉이 말한 내용은 △ 표시를 해 보십시오.

1) 미국에서 왔다. ________

2) 베트남 출신이다. ________

3) 국제 홍보학을 전공했다. ________

4) 어렸을 때 시골에 살았다. ________

5) 중국에서 대학교를 졸업했다. ________

6) 아버지의 직업은 외교관이다. ________

7) 광고대회에서 수상을 하였다. ________

8) 인하그룹의 긍정적인 이미지를 알리고 싶다. ________

4. 여러분이 면접관이라면 어떤 질문을 추가하고 싶습니까?

- ________________________________

- ________________________________

- ________________________________

5. 흐엉과 로빈 중 누가 면접에 합격했을지 생각해 보고 옆 친구와 함께 이야기해 보십시오.

문법 및 표현

1. V-ㄴ/은 나머지

: 어떤 일의 결과를 나타낼 때 쓰인다.

- 입사 시험에서 너무 긴장한 나머지 답을 밀려 써서 불합격하고 말았다.
- 비인기 종목인 봅슬레이가 올림픽에서 금메달을 따자 너무 기쁜 나머지 눈물이 났다.
- 결혼 준비로 돈을 많이 쓴 나머지 다음 달부터는 아르바이트라도 해야 하는 형편이 되었다.

2. V-(으)니 망정이지, V-기(에) 망정이지

: 앞 내용 덕분에 다행스럽게 바람직하지 않은 일을 피할 수 있었음을 나타낸다.

- 내가 너를 붙잡았기에 망정이지 하마터면 차에 치일 뻔했잖아.
- 마침 아는 사람을 만났기에 망정이지 길거리를 밤새 헤맬 뻔했다.
- 아침에 전화벨이 울려 일어났으니 망정이지 하마터면 시험을 못 볼 뻔했다.
- 밤이었으니 망정이지 세수하지 않은 내 얼굴을 봤으면 남자친구가 크게 실망했을 것이다.

쓰고 말하기

자기소개서

성장 배경

성격 소개

학창 시절 및 경력 사항

지원 동기

통합 활동

친구들과 함께 면접관, 지원자로 역할을 나눠 모의 면접을 해 보십시오.

1. 내가 가고 싶은 회사에 대한 모집 공고를 찾아 간단히 메모해 보십시오.

- 회사명 :
- 모집 기간 :

2. 면접관과 지원자로 나눠 역할을 맡아서 질문을 작성해 보십시오.

	면접 예상 질문
1	예) 자기소개를 간단히 해 보세요.
2	
3	
4	
5	

3. 면접관은 지원자를 면접하고 아래 평가표에 점수를 표시하십시오.

평가 항목	세부 항목	점수
태도	호감을 주는 인상인가? 옷차림이 단정한가? 대답하는 태도가 착실한가?	5 4 3 2 1 0
표현력	유창하게 말하는가? 간결하고 정확하게 표현하는가? 말하는 내용에 일관성이 있는가? 자신의 생각을 충분히 전달하는가?	5 4 3 2 1 0
판단력	질문의 내용을 정확하게 이해하는가? 곤란한 상황에서 결단력이 있는가?	5 4 3 2 1 0
적극성	남이 싫어하는 일도 자진해서 수행할 수 있는가? 옳다고 생각하는 일은 행동으로 옮길 수 있는가?	5 4 3 2 1 0
성실성	자신감이 있는가? 책임감이 있는가? 진실성이 있는가? 미래에 대한 확고한 계획이 있는가?	5 4 3 2 1 0

4. 평가표를 보고 누구를 채용할 것인지 토의해 보십시오.

5. 면접관은 합격자를 발표하고 왜 그 사람을 채용했는지에 대해서 설명해 보십시오.

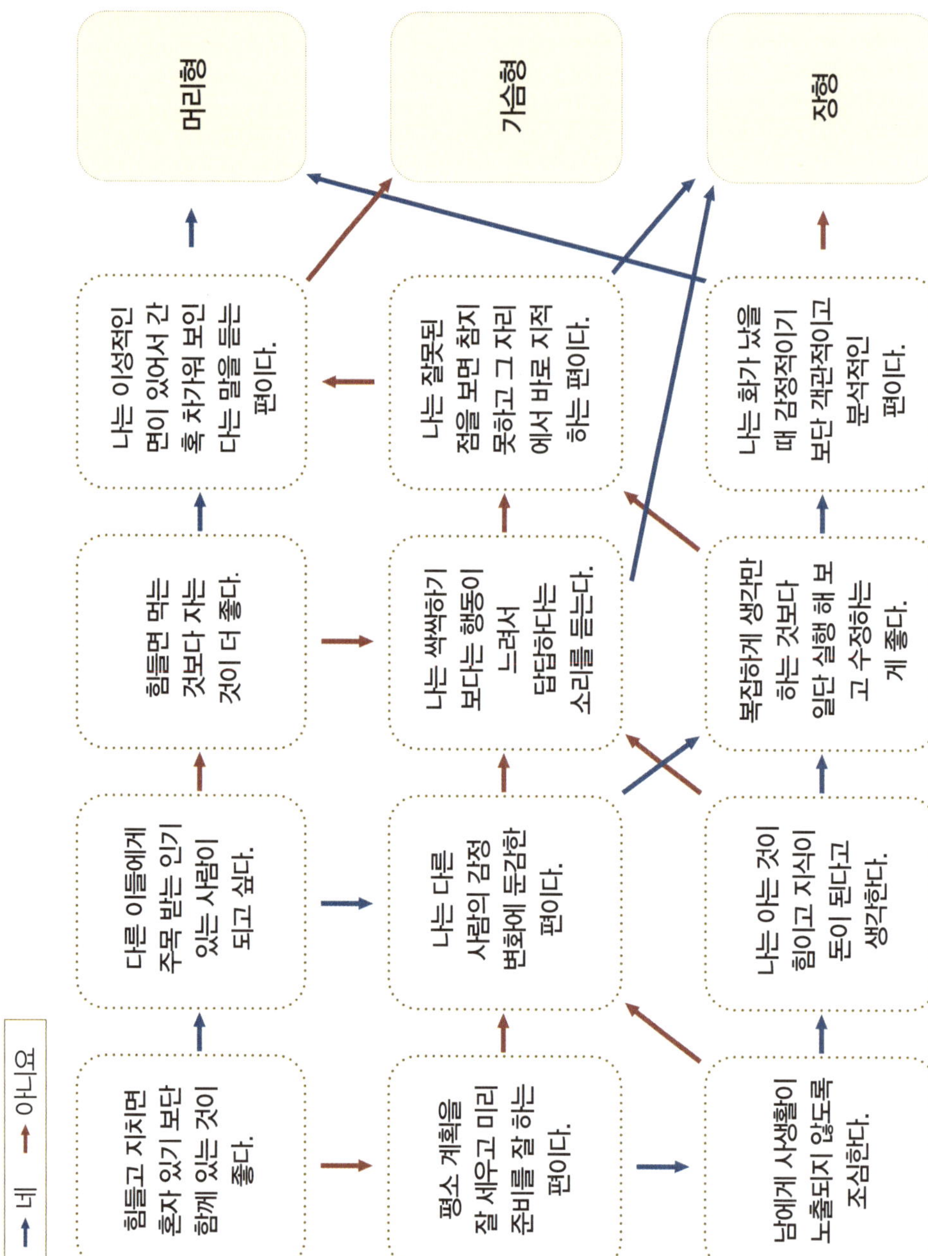
네
아니요
힘들고 지치면 혼자 있기 보단 함께 있는 것이 좋다.
다른 이들에게 주목 받는 인기 있는 사람이 되고 싶다.
힘들면 먹는 것보다 자는 것이 더 좋다.
나는 이성적인 면이 있어서 간혹 차가워 보인다는 말을 듣는 편이다.
머리형
평소 계획을 잘 세우고 미리 준비를 잘 하는 편이다.
나는 다른 사람의 감정 변화에 둔감한 편이다.
나는 싹싹하기 보다는 행동이 느려서 답답하다는 소리를 듣는다.
나는 잘못된 점을 보면 참지 못하고 그 자리에서 바로 지적하는 편이다.
가슴형
남에게 사생활이 노출되지 않도록 조심한다.
나는 아는 것이 힘이고 지식이 돈이 된다고 생각한다.
복잡하게 생각만 하는 것보다 일단 실행해 보고 수정하는 게 좋다.
나는 화가 났을 때 감정적이기 보단 객관적이고 분석적인 편이다.
장형

· 나는 어떤 유형의 사람입니까?

· 친구는 어떤 유형의 사람인지 맞춰 보십시오.

머리형	머리형은 냉정하고 무표정하다. 감정 절제가 뛰어나며 공사 구분이 명확하다. 뭐든 머리로 이해가 되어야 의사결정을 한다. 이처럼 객관적이고 논리적이기에 주로 '왜죠?' '그렇게 생각하는 근거가 뭐죠?'라고 묻곤 한다. 이들은 지식, 정보가 곧 돈이라고 여기며 정보를 공유하는 것을 매우 신중하게 생각한다. 또한 심신의 안정에 대한 욕구가 있기에 불안하고 초조함을 잘 느낀다. 불안에 대비하기 위해 과거나 현재보다는 미래에 관심이 많다.
가슴형	가슴형은 포근하고 부드러운 성향을 가지고 있다. 이들은 사람을 많이 사귀면 나중에 다 돈이 된다고 믿는다. 그래서 이런 사람들은 인맥 관리를 중요하게 생각한다. 그리고 이들은 다른 사람들 눈에 비친 자신의 이미지에 대해 관심을 쏟기에 평소 외모에 관심이 많다. 그리고 주변 사람들과 환경에 영향을 많이 받으므로 감정 기복이 심한 편이다. 또한 좋아하는 사람과 싫어하는 사람의 구분이 매우 명확하다. 이들은 칭찬을 들었을 때 힘이 생기는 유형이다.
장형	장형은 자기중심적이며 남에게 좌우되는 것을 싫어한다. 나의 의지와 힘이 중요하며 자신이 이루고 싶은 일이 생기면 그것에만 집중한다. 욕심이 많고 지배욕이 상당하다. 이런 유형의 사람들은 복잡한 것을 싫어하는 편이다. 장형은 일단 몸으로 체험을 해 봐야 직성이 풀린다. '가 봤어?', '해 봤어?', '그래서 결론이 뭐야?'라고 자주 말하는 사람들이 바로 이 유형이라고 할 수 있다. 장형은 머리를 많이 쓰는 일을 하면 힘들어 하는 것이 흠이다.

유형별
스트레스 해소법

유형별
어울리는 직업

유형별
어울리는 색상

제3과 생활 속 과학

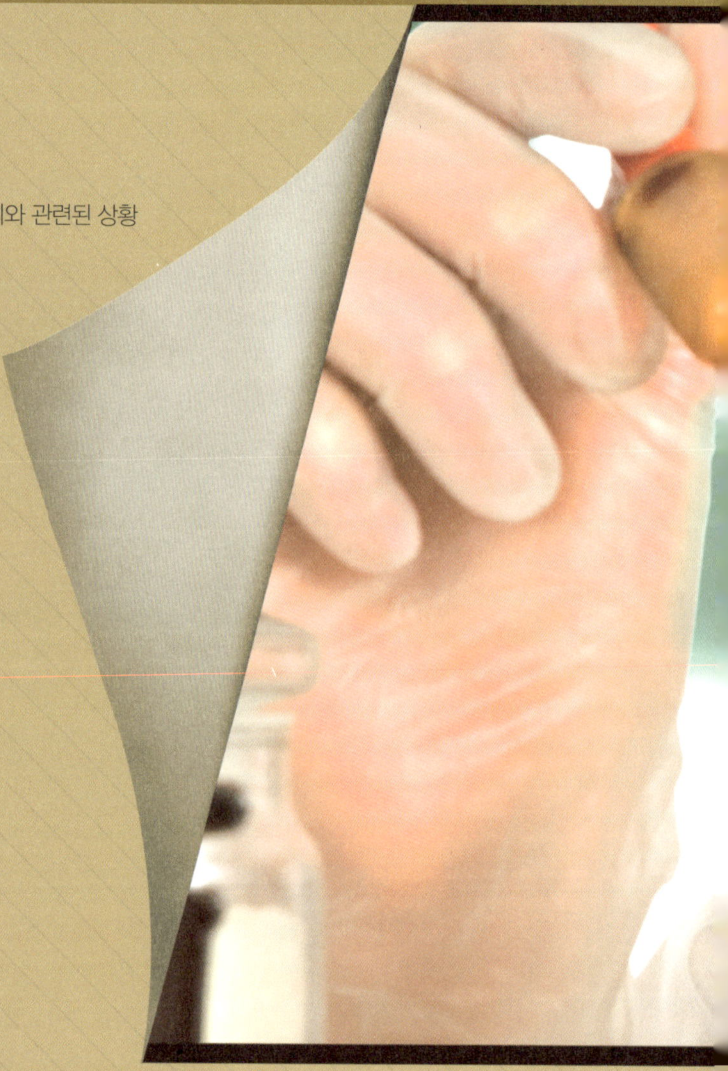

학습 주제
과학과 생활

학습 목표
일상생활 속에서 나타나는 과학 상식을 이해하며 이와 관련된 상황을 표현할 수 있다.

어휘 학습
과학 관련 어휘

듣고 말하기
날씨 관련 일상 대화
인간 복제에 대한 토론

읽고 말하기
인간을 위한 화장품 동물실험

쓰고 말하기
인간 복제에 대한 토론문

문법 및 표현
V-기 십상이다, V-ㄴ/은/는데도 불구하고
V-게끔, N에 불과하다, N은/는 고사하고, V-되

통합 활동
토론하기

3 생활 속 과학

들어가기

1. 과학은 우리의 삶과 어떤 관련이 있습니까?

2. 여러분이 알고 있는 과학 상식이나 생활 상식에 대해서 이야기해 보십시오.

듣고 말하기1 505

두 사람이 생활 속 과학에 대해 이야기하고 있습니다. 잘 듣고 질문에 대답하십시오.

1. 왕루 씨는 오늘 무엇을 하려고 합니까?

2. 다음 중 들은 내용과 다른 것을 고르십시오. (   )
   ① 새가 하늘을 낮게 날면 비가 올 가능성이 많다.
   ② 왕루는 현재 과학 교사로 로빈을 가르치고 있다.
   ③ 비가 오면 습도가 높아져서 파마가 잘 되지 않는다.
   ④ 왕루는 오늘 머리를 하려고 어렵게 미용실을 예약했다.

3. 여러분이 알고 있는 날씨와 관련된 과학 상식을 친구들과 함께 이야기해 보십시오.

1. AV-기 십상이다

: 앞 문장처럼 되기 쉽거나 그럴 가능성이 높은 경우에 사용한다.

- 이렇게 추운 날씨에 반팔만 입고 다니다가는 얼어 죽기 십상이다.
- 공장에서는 안전 규칙을 지키지 않으면 큰 사고를 당하기 십상이다.
- 아무리 돈을 많이 번다 해도 흥청망청 쓰다가는 쪽박을 차기 십상이다.

- 가는 날이 장날
- 눅눅하다
- 얼룩
- 요긴하다

어휘 학습

1. 다음 중 적절한 어휘를 선택해서 아래 문장을 완성해 보십시오.

줄기	혈액형	고막	엽록소	견과류
적혈구	뿌리	물질	눈	

	모든 동물의 머리에 귀가 있는 것은 아니다. 어떤 나방은 1) (　　　　　　)에 해당하는 것이 가슴 중앙에 있고, 거미와 귀뚜라미는 다리에 있다.
	감자는 실제로는 뿌리가 아니라 2) (　　　　　　)이/가 변형된 것이다. 감자의 3) (　　　　　　)은/는 옆 가지의 싹이다. 따라서 감자가 싹을 틔우는 것은 나무가 가지를 내는 것과 같다.
	어떤 종류의 식물은 인간의 4) (　　　　　　)와/과 마찬가지로 반응한다. 그것은 식물에 혈액이 있기 때문이 아니라 그 식물의 몸속에 인간의 5) (　　　　　　)을/를 만드는 성분과 같은 물질이 함유되어 있기 때문이다. 식물의 혈액형은 대개 O형이다.
	실제로 잎은 가을에 색깔이 변하지 않는다. 잎에는 6) (　　　　　　)이/가 있어서 보통은 푸르게 보인다. 잎이 죽어 엽록소가 사라지면 본래 존재했던 7) (　　　　　　)의 색깔이 나타나게 된다. 따라서 붉은 단풍은 새로운 색깔이 물드는 것이 아니다.
	땅콩은 8) (　　　　　　)이/가 아니고 콩류다. 왜냐하면 완두콩이나 일반 콩처럼 신축성 있는 껍질로 씨를 보호하는 협과에 속하기 때문이다. 게다가 땅콩은 9) (　　　　　　)에서 나기 때문에 더더욱 견과류가 아니다.

2. 다음은 과학과 관련된 한자성어입니다. 관계있는 말과 연결해 보십시오.

1) 삼한사온 •	• 가)	사물에 대하여 깊이 연구해서 자신의 지식을 넓혀야 해요.
2) 격물치지 •	• 나)	그 사람은 독서도 즐기고 공부를 많이 해서 아는 것이 많아요.
3) 온고지신 •	• 다)	한국의 겨울은 3일은 몹시 춥고 4일은 조금 덜 춥대요.
4) 박학다식 •	• 라)	옛 것을 복습해서 새 것을 아는 사람이라면 남의 스승이 될 만해요.

3. 다음은 과학과 관련된 말입니다. 상황에 맞는 것을 골라 대화를 완성하십시오.

제비가 낮게 날면 비가 온다	웃음이 명약이다	찬물도 체한다
엄마 손이 약손이다	바늘구멍으로 황소바람 들어온다	

1) 가 : 어제 찬 음식을 너무 많이 먹었더니 계속 배가 아파요.
   나 : 이리 와 보렴. 엄마가 배를 눈실러 줄게. '______________________________.'

2) 가 : 요즘 자꾸 우울하고 머리도 아픈데 아무리 약을 먹어도 낫지 않아요.
   나 : ______________________________. 좋은 생각을 많이 하고 자주 웃으세요.

3) 가 : 와! 저 새가 정말 낮게 나네요. 이렇게 가까이에서 본 건 처음이에요.
   나 : ______________________________고 해요. 아마 내일은 비가 올 것 같아요.

4) 가 : 운동을 했더니 너무 더운데 얼음물 한 잔 줄래요?
   나 : 여기 있어요. ______________________________는 말도 있는데 천천히 드세요.

5) 가 : ______________________________더니 창문 틈으로 찬바람이 들어와서 추워 죽겠어요.
   나 : 그러게요. 우리 오후에 문풍지 좀 사다가 붙여 볼까요?

읽고 말하기

여자라면 누구나 아름다워지고 싶어 한다. 그리고 예뻐지기 위한 본능을 만족시키기 위해 화장을 한다. 이집트에서 시작된 화장의 역사는 현대로 이어져 오면서 점점 다양해지고 있다. 더구나 요즘은 여자, 남자, 어린 아이 할 것 없이 누구나 화장품을 사용하고 있다.

그렇다면 우리가 사용하고 있는 이런 화장품은 어떻게 만들어지는 것일까? 화장품은 사람의 몸에 바르며, 심지어 먹을 수도 있는 것이다. 그렇기에 사람의 몸에 직접 바르는 화장품이 인체에 무해한지를 검증하는 일은 반드시 필요하다. 그래서 화장품 회사는 인간에게 문제가 되지 않게끔 동물로 사전 실험을 한다.

화장품 동물실험은 크게 안구 자극 실험, 피부 민감성 실험, 독성 실험 등으로 분류된다. 안구 자극 실험의 경우에는 주로 토끼를 대상으로 한다. 백색 토끼를 몸을 움직일 수 없도록 고정시킨 채 눈에 화학물질을 주입하여 토끼의 눈에 출혈, 염증, 실명을 유발시킨다. 토끼는 사람과 같이 눈물이 나오지 않아서 강제로 안구에 독극물을 넣으면 씻어 내릴 수 없다. 결국 눈을 피할 수 없이 고정되어 있는 토끼들은 극심한 고통에 저항하다가 목뼈가 부러지기도 한다. 이밖에 다른 실험도 이와 다르지 않게 잔인한 방법을 사용하여 실험한다.

하지만 화장품 동물실험은 알려진 만큼 그리 효과가 크지 않다. 실제 토끼나 기니피그에게 실험을 해도 인간과 성질이 다르기 때문에 그 결과에 큰 의미를 둘 수 없다. 화장품 동물실험을 반대하는 한 화장품 회사 관계자는 "동물과 인간이 공유하는 질병은 1%에 불과하다. 동물실험은 인간이 안심하기 위한 관행일 뿐이다"라고 말한다. 이런 문제가 제기되고 있는데도 불구하고 수많은 화장품 회사가 동물실험을 하는 이유는 무엇일까?

사실 이미 화장품 동물실험을 하지 않고도 정확히 안정성을 검증할 수 있는 대체 실험법이 있다. 예전에는 화장품 원료가 피부를 자극하는 정도를 보기 위해 동물의 피부

- 본능
- 심지어
- 무해하다
- 검증
- 민감성
- 독성
- 안구
- 자극
- 출혈
- 염증
- 실명
- 유발하다
- 독극물
- 극심하다
- 저항하다
- 관행
- 제기하다

에 화학약품을 발랐지만 이제는 시험관에 배양된 인간의 피부 세포를 사용하여 실험한다. 이렇듯 약품에 대한 동물 피부의 반응이 아닌 사람 피부의 반응 정도를 가늠해 볼 수 있을 정도로 기술 발전을 이루었다. 하지만 동물실험 금지에 대한 법적 제재가 없으며 무엇보다도 화장품 회사의 원가 절감을 위해서 동물실험을 진행하고 있다.

국내 화장품 동물실험 현황 (2014년 기준)	
전국 화장품 동물실험 시설	450개
동물사체량	41만117.6kg
실험 동물 생산량	287만7068마리
실험 동물 수입량	18만5814마리

화장품 동물실험 사용량

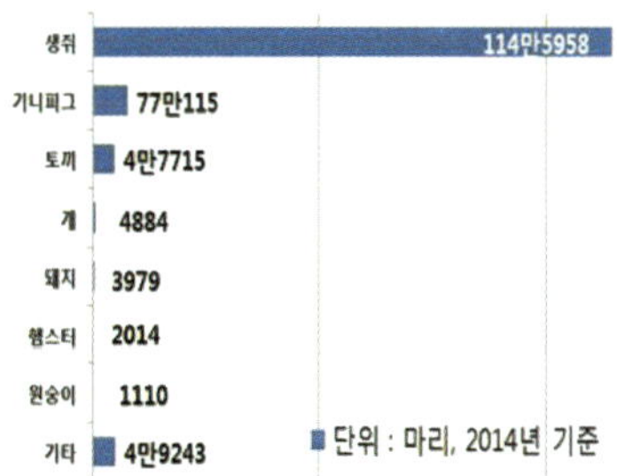

그러나 나라마다 상황은 다르다. 유럽연합은 화장품과 원료에 대한 동물실험이 금지되었다. 게다가 동물실험을 거친 제품은 유럽 외 국가에서 만들어진 제품이라도 수입과 판매를 할 수 없게 되었다. 그 까닭은 유럽은 이미 지난해부터 화장품에 대한 동물실험이 법안으로 전면 금지되었기 때문이다. 유럽뿐만 아니라 이스라엘, 인도도 이미 법적으로 화장품 동물실험을 금지했다.

한국의 경우는 아직 관련 법안이 마련되어 있지는 않으나 화장품업계에도 이러한 소비자의 분위기에 맞춰 동물실험을 자체적으로 금지하는 추세가 확산되고 있다. 최근 젊은층을 중심으로 화장품을 살 때 인간의 아름다움을 위해 동물의 생명을 빼앗는지를 따지는 '착한 소비' 바람이 일고 있기 때문이다. 또한 한 단체에서 지난 2월에 전국 19세 이상 남녀 1000명을 대상으로 실시한 설문조사 결과, 65.6%가 화장품을 만들기 위한 동물실험에 반대한다고 했다. 국제동물구호단체도 화장품은 인간의 아름다움을 유지하기 위한 물건인데 이를 만드는 과정에서 많은 동물이 희생된다며 우려를 표시하기도 하였다. 또한 세계적인 추세가 이를 금지하는 방향으로 가고 있다며 한국에서도 법안이 마련되기를 바란다고 밝혔다.

국회의원과 시민단체를 중심으로 동물보호법 등을 개정해 화장품 제조를 위한 동물실험을 금지하려는 움직임도 활발하다. 식품의약품안전처 관계자는 화장품을 만들 때 원료 단계에서 안전성 평가가 이뤄진 경우가 많아 동물실험이 필요 없는 부분이 상당히 많다고 한다. 그러면서도 동물실험을 완전히 대체할 수 없는 부분도 있어서 과학적 안전성 검사를 위해 동물실험을 법으로 금지하는 것을 신중하게 생각할 수밖에 없다고 밝혔다.

- 화학약품
- 배양되다
- 세포
- 가늠하다
- 절감
- 원료
- 추세
- 희생
- 우려

1. 다음 중 이 글의 제목으로 알맞은 것을 고르십시오. (   )

① 화장품 뒤에 숨은 잔인함

② 화장하는 예쁜 남자의 아픔

③ 화장은 어디에서 시작되었나?

④ 동물실험의 효과는 검증되었나?

2. 이 글에서 많은 회사가 동물실험을 지속하는 이유는 무엇입니까?

3. 이 글에서 제시한 동물실험의 특징이 아닌 것을 모두 고르십시오. (   )

① 화장품이 인체에 무해한지를 확인해 보기 위해서 실시한다.

② 화장품 동물실험은 주로 목뼈가 부러진 토끼들을 대상으로 한다.

③ 화장품을 동물에게 지속적으로 주입시키면 동물은 야생성을 되찾는다.

④ 화장품 동물실험으로는 안구 실험, 피부 민감성 실험, 독성 실험 등이 있다.

4. 이 글에서 화장품 동물실험을 대체하는 방법은 무엇입니까?

5. 다음 중 이 글과 일치하지 않는 것을 고르십시오. (   )

① 한국은 이미 화장품 동물실험 금지 법안이 마련되었다.

② 유럽에서는 수입 화장품도 동물실험을 금지하고 있다.

③ 최근 젊은 사람들은 화장품 구매 시 동물실험을 하지 않은 것을 선호하고 있다.

④ 화장품 동물실험은 인간과 동물의 성질이 다르기에 그 결과의 효과가 크지 않다.

6. 자국의 화장품 동물실험과 관련된 사건이나 법안에 대해서 조사하고 발표해 보십시오.

문법 및 표현

1. V-ㄴ/은/는데도 불구하고

: 앞의 행위나 상태의 결과에서 기대할 수 있는 것과 다르거나 반대의 사실이 결과적으로 뒤에 올 때 사용한다.

- 철수는 몸이 아픈데도 불구하고 학교에 갔어요.
- 오늘 모임에 가기 싫은데도 불구하고 민수를 생각해서 가기로 했다.
- 그 사건과 무관한 사람인데도 불구하고 경찰이 그를 끌고 갔다.

2. V-게끔

: 뒤에 오는 행동의 정도 또는 기준이 됨을 나타낸다.

- 광고는 물건을 사게끔 사람의 마음을 움직여야 한다.
- 우리 아이는 주사를 무서워하니까 아프지 않게끔 놔 주세요.
- 7시 정도에 도착할 테니 7명이 저녁을 먹게끔 준비해 두세요.
- 그 선생님은 그들의 실수를 꾸짖지 않으시고 그들 스스로 깨닫게끔 하셨다.

3. N에 불과하다

: 그 수준을 넘지 못하거나 그 수준 이상이 될 수 없을 때 사용한다.

- 영원한 사랑이란 환상에 불과하다.
- 장기적인 경기침체로 인해 이번 달 판매량은 목표의 70%에 불과했다.
- 20살이나 차이 나는 부부가 잘 사는 걸 보니 나이는 숫자에 불과하다는 생각이 들었다.

듣고 말하기2 506

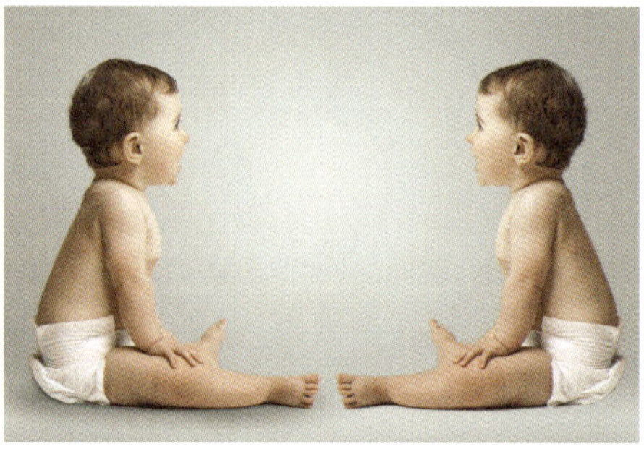

1. 이 토론의 주제는 무엇입니까?

2. 다음 중 토론의 규칙이 아닌 것은 무엇입니까? (   )

① 전체 토론시간은 총 30분 정도이다.

② 각자 의견을 말하는 시간은 2분 이내이다.

③ 잘 들리도록 큰 소리로 언성을 높여서 말해야 한다.

④ 상대를 비판하거나 의견을 감정적으로 표현하지 않는다.

- 복제
- 발언하다
- 존엄성
- 허용되다
- 훼손
- 비범하다
- 배아
- 매겨지다
- 장기
- 산모
- 태아
- 결함
- 규정
- 남용

3. 다음 빈칸에 알맞은 이름을 써 보십시오.

1) 사회자	
2) 찬성 토론자	
3) 반대 토론자	

4. 토론자들의 찬반 의견의 근거는 무엇입니까? 알맞은 것을 골라서 연결해 보십시오.

1) 자르갈 •	• 가)	인간이 복제를 통해 쉽게 대치 가능한 것이 됨으로써 인간의 존엄성이 훼손될 것이다.
2) 안드레이 •	• 나)	인간 복제는 상업적 이익을 목적으로 악용될 수 있다.
3) 이멜리 •	• 다)	그 누구도 인간의 생명을 좌지우지 할 수 없다.
4) 흐엉 •	• 라)	뛰어난 인물을 복제하면 사회적 이익이 될 것이다.
5) 아시프 •	• 마)	유전병을 앓고 있는 사람들을 위해 인간 복제는 필요하다.
6) 로빈 •	• 바)	인간 복제는 개인적 선택의 문제이므로 자유가 보장되어야 한다.

5. 찬성 토론자의 질문에 대한 반대 토론자의 답변은 무엇입니까?

찬성 토론자	인간 복제가 장기 매매에 악용될 수 있다고 하였는데 정부에서 철저히 규제하면 막을 수 있지 않을까요?
반대 토론자	

6. 반대 토론자의 질문에 대한 찬성 토론자의 답변은 무엇인지 써 보십시오.

반대 토론자	인간 복제가 개인의 자유라고 하였는데 다른 인간의 생명을 누군가가 선택한다면 인간의 존엄성이 훼손되지 않을까요?
찬성 토론자1	
찬성 토론자2	

7. 인간 복제에 대한 자신의 의견을 이야기해 보십시오.

문법 및 표현

1. N은/는 고사하고, V-기는 고사하고

: 앞의 상황을 포함하여 뒤의 상황도 못 하게 되거나 상반된 결과를 나타낼 때 사용한다.

- 장학금은 고사하고 낙제만 아니었으면 좋겠어요.
- 담배를 끊기는 고사하고 오히려 더 많이 피워요.
- 자주 만나기는 고사하고 전화 통화하기도 힘들어요.

2. V-되

: 앞 내용을 인정하고 허락하거나 조건이나 제약이 있는 경우에 사용한다.

- 약을 복용하되 식이요법이나 운동도 병행하는 게 좋대요.
- 컴퓨터를 사용하시되 다 쓰신 후에는 반드시 전원을 꺼 주세요.
- 네가 하고 싶은 대로 하되 그 다음에 일어나는 모든 일은 스스로 책임져라.
- 그 선배는 돈은 많되 시간이 없어 삶을 즐길 줄도 모르는 것 같다.

쓰고 말하기

다음 중 한 가지 주제를 정해서 찬성 측과 반대 측의 의견과 근거를 정리해 보십시오. 토론문을 바탕으로 주장하는 글을 써 봅시다.

<토론 주제>

1. 인공지능 로봇이 필요한가?
2. 인간을 위한 동물 실험은 반드시 필요한가?
3. 통신 기술의 발달은 사람과 사람을 더 가깝게 하는가?
4. ______________________________
5. ______________________________

토론문		
토론 주제		
찬성	근거	
반대	근거	

통합 활동

토론의 주제와 역할을 정한 후 작성한 토론문을 바탕으로 토론을 준비하십시오.
토론이 끝난 후 스스로 평가해 보십시오.

1. 토론의 주제는 무엇입니까?

2. 역할을 정한 후 토론을 해 보십시오.

3. 자기평가

<table>
<tr><td colspan="8">평가하기</td></tr>
<tr><td colspan="8">자신이 토론 활동에 잘 참여했는지, 원활하게 토론이 진행되었는지 평가해 보십시오.</td></tr>
<tr><td rowspan="4">자기평가</td><td>1</td><td>토론에 집중하며, 주제를 벗어나지 않고 토론에 임했다.</td><td>5</td><td>4</td><td>3</td><td>2</td><td>1</td></tr>
<tr><td>2</td><td>의견을 말할 때 적절한 자료나 근거를 들었다.</td><td>5</td><td>4</td><td>3</td><td>2</td><td>1</td></tr>
<tr><td>3</td><td>간단한 메모를 통해 상대방의 목적이나 의도를 파악하며 끝까지 들었다.</td><td>5</td><td>4</td><td>3</td><td>2</td><td>1</td></tr>
<tr><td>4</td><td>내 의견을 자신 있게 2번 이상 말하였다.</td><td>5</td><td>4</td><td>3</td><td>2</td><td>1</td></tr>
</table>

문화 산책

여러분이 알고 있는 속설 중에서 과학적인 근거를 갖고 있는 속설을 찾아보십시오.

낮말은 새가 듣고 밤말은 쥐가 듣는다.

음파는 차가운 공기 쪽으로 휘어 꺾이는 성질이 있다. 낮 동안 지구의 표면이 뜨거워지면 지면 부근에는 따뜻한 공기가 있게 되고 이에 비해 상공의 공기는 상대적으로 차가운 공기가 자리 잡게 된다. 이로 인해 낮에는 소리가 상공으로 퍼져서 지면 부근에서는 소리가 잘 들리지 않는다. 새는 공중을 날고 있으므로 상공으로 퍼지는 낮말을 잘 들을 수 있는 것이다.

이와 반대로 밤에는 낮 동안 가열된 지구의 표면이 식게 되고 지면 부근에는 차가운 공기가 있게 된다. 그래서 밤에는 상공에서 지면 쪽으로 음파가 굴절되므로 상공에서보다 지면 부근에서 소리가 더 잘 들리게 된다. 쥐는 지표면에서 생활하므로 지면 쪽으로 굴절된 밤말을 잘 들을 수 있는 것이다.

제비가 낮게 날면 비가 온다.

파리, 모기와 같은 곤충들은 습기가 많아지면 비가 올 것을 예상하여 지표면 가까이로 숨을 장소를 찾아서 내려가게 된다. 그래서 제비도 먹이를 구하려고 지표면 가까이로 내려온다. 그렇기 때문에 사람들은 제비가 낮게 날면 비가 올 것으로 예상하는 것이다.

찬물도 체한다.

실제로 0~4도의 차가운 물은 위에 부담을 주며 다른 음식을 소화하는 데에 지장을 주기도 한다. 그러므로 찬물을 벌컥벌컥 마시면 체할 수도 있다. 특히 위가 좋지 않은 사람이 찬물을 빨리 마시면 위에 스트레스를 더 주어 탈이 나게 되므로 가급적이면 찬물을 빨리 마시지 않는 것이 좋다.

바늘구멍으로 황소바람 들어온다.

19세기 초 스위스의 과학자 베르누이는 통로가 좁은 곳을 통과하는 공기는 통로가 넓은 곳을 지나는 공기보다 속도가 빨라진다는 것을 발견했다. 창밖에서 불던 바람은 문틈을 통과하면서 베르누이 원리에 의해 속도가 빨라진다. 바늘 구멍같은 틈으로 불어온 바람이 좁은 통로를 통과하면서 황소만큼 세고 매워지는 것이다. 겨울에 문틈에 난 바늘만한 구멍의 바람이 바깥바람보다 더욱 시리게 느껴지는 것은 이 때문이다.

웃음이 명약이다.

웃음은 우선 소화액 분비를 촉진하여 식욕을 돋게 하는 것으로 알려져 있다. 또한 스트레스를 풀어주기도 하고 인체의 면역력을 향상하여 질병을 예방하는 효과를 가져다준다. 미국의 한 연구팀이 심장마비 경험자 96명을 정밀 조사한 결과 비관적인 사람으로 분류된 16명 중 15명이 사망했으며 낙천적인 사람은 16명 중 5명만이 사망했다고 한다.

제4과 운동과 건강

학습 주제
운동

학습 목표
운동과 건강에 관련된 글을 이해하고 주변 인물들을 인터뷰할 수 있다.

어휘 학습
운동 관련 어휘

듣고 말하기
운동 관련 일상 대화
배구 선수 인터뷰

읽고 말하기
운동 관련 기사문

쓰고 말하기
신문 기사문 작성

문법 및 표현
V–ㅁ/음직하다, N도 V거니와, V–기가 그지없다
V–ㄴ/은/는다고 할까?

통합 활동
관심 인물 인터뷰

문화 산책
스포츠 콩글리시

4 운동과 건강

들어가기

저는 직장을 그만 두고 나서 한 달 동안 몸무게가 10kg이나 늘었습니다. 예전에는 직장 동료들과 주말마다 등산을 자주 다니곤 했는데 무릎을 다친 후로는 그럴 수도 없어서 고민입니다.

저는 수영, 배드민턴, 탁구를 아주 즐겼는데 요즘 들어 그런 운동이 싫증이 났어요. 뭔가 새롭고 나만 할 수 있는 그런 운동이 없을까요?

저는 여자 친구와 함께 운동을 하고 싶은데 제 여자 친구는 통통한 편이고 등산이나 달리기 같은 운동은 질색하는 편입니다. 이런 제 여자 친구와 함께 할 만한 운동은 어디 없을까요?

저는 절약 정신이 아주 투철한 편이에요. 그래서 그런지 특별히 큰 돈을 들이지 않고 건강한 몸을 만들고 싶은데요. 저한테 알맞은 운동이 있을까요?

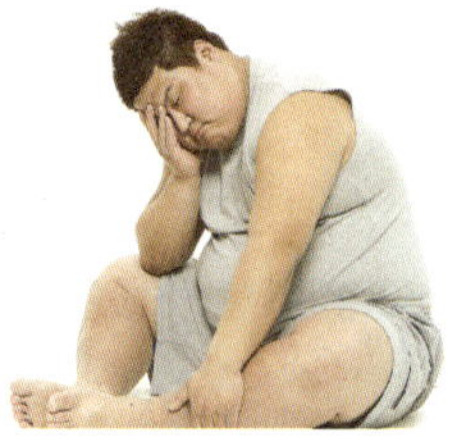

사실 저는 게임 중독이에요. 늘 컴퓨터만 쳐다보니까 어깨가 뻐근하고 허리도 많이 아프고요. 게다가 요즘에는 밖에 나가는 것도 두려워요. 게임만 하다 보니 대인 관계에도 문제가 있는 것 같아 정말 고민이에요.

1. 내가 좋아하는 운동종목에 대해서 이야기해 보십시오.

2. 요즘 건강에 대한 어떤 고민을 가지고 있는지 이야기해 보십시오.

듣고 말하기1 507

두 사람이 대화를 잘 듣고 물음에 답하십시오.

1. 두 사람은 무엇에 대해서 이야기하고 있습니까?

2. 다음 중 알맞지 않은 내용을 모두 고르십시오. (   )

① 여자는 운동에 관심이 많은 편이다.

② 남자는 여자와 함께 경기 관람을 하고 싶어 한다.

③ 여자는 대학 배구부의 존재를 이미 알고 있었다.

④ 남자는 여자가 경기를 관람하면 생각이 바뀔 것이라고 생각한다.

3. 다음 운동 종목 중에서 한 가지를 정해 간단하게 게임 규칙을 이야기해 보십시오.

• 배구 • 농구 • 유도 • 탁구 • 축구

제가 배구의 게임 규칙에 대해 이야기해 볼게요. 배구는 6인제와 9인제가 있어요. 선수들은 손으로 공을 쳐서 네트를 넘겨 상대 진영에 공을 떨어지게 하면 점수가 생겨요. 한 팀에서는 총 3번까지 공을 칠 수 있고요.
총 4세트인데 한 세트에 25점씩을 올려야 하고 마지막 5세트는 15점을 올려야 이겨요.

• 뺨치다
• 배부하다
• 박진감
• 팬

어휘 학습

1. 아래의 운동 종목을 유산소 운동과 무산소 운동으로 나눠 보십시오.

• 수영	• 팔굽혀펴기	• 장거리 달리기	• 권투
• 마라톤	• 줄넘기	• 에어로빅	• 걷기
• 단거리 달리기	• 자전거 타기	• 등산	• 씨름
• 조깅	• 윗몸일으키기	• 잠수	• 멀리뛰기

1) 유산소 운동	2) 무산소 운동

2. 다음 운동들의 칼로리를 살펴보고 어떤 능력을 길러 주는지 모두 쓰십시오.

근력	지구력	순발력	체력	유연성
민첩성	심폐기능	체형교정	균형감각	

1)		1시간 약 800 Kcal 정도 소모, 근력, 체력
2)		1시간 약 780 Kcal 정도 소모, ______________
3)		1시간 약 650 Kcal 정도 소모, ______________
4)		1시간 약 250 Kcal 정도 소모, ______________
5)		1시간 약 210 Kcal 정도 소모, ______________

3. 다음의 관용표현을 사용하여 문장을 완성해 보십시오.

얼굴을 못 들다　　콧대를 꺾다　　손에 땀을 쥐다　　손발이 맞다　　수포로 돌아가다

1) 가 : 민수 씨 팀이 3년 연속 우승을 노리고 있었는데, 부상당한 선수가 많아서 이번 시즌에 우승하는 것은 어렵겠죠?

나 : 그러게요. 1년 넘게 준비한 노력이 모두 ______________________.

2) 가 : 오만한 영국 축구가 결국 뚝심의 한국 축구 앞에서 꼬리를 내렸습니다. 자세한 소식을 이수진 기자가 전해 드립니다.

나 : 한국 축구가 영국을 무너뜨리고 4강에 올라 축구 명가 영국의 ______________________.

3) 가 : 어제 배드민턴 경기 봤어? 나는 보는 내내 어찌나 떨리던지…….

나 : 난 경기장에서 직접 봤는데 ______________________ 랠리가 계속될 때마다 관중석에서 환호와 탄식이 엇갈릴 정도로 긴장감이 대단했어.

4) 가 : 이민석 선수, 오늘 승리의 주역인데요, 소감 한 말씀 부탁합니다.

나 : 네, 새로운 전술이 많아 처음에는 선수들과 ______________________ 경기를 치르는 과정에서 점점 나아져서 오늘 좋은 결과가 나온 것 같습니다.

5) 가 : 어제 우리 5급이랑 6급이 야구 시합을 했는데 5대 6으로 역전패를 당했지 뭐야.

나 : 역전패?

가 : 다 이긴 경기였는데 갑자기 안드레이가 실점을 하는 바람에 속상해 죽겠어.

나 : 아, 그래서 오늘 하루 종일 안드레이가 ______________________ 풀이 죽어 있었구나.

4. 다음에 제시된 운동 종목으로 단어 빙고를 해 보십시오.

게임방법

아래에 제시되어 있는 운동 종목으로 빙고를 합니다.

1. 운동 종목 중에 마음에 드는 것을 골라 빙고판에 씁니다.
   (단, 빙고판 한 칸에 운동종목을 하나만 쓰면 됩니다.)
2. 빙고판의 가로, 세로, 대각선 중에서 3줄이 제일 먼저 빙고가 되면 게임에서 이깁니다.

• 암벽등반	• 수중발레	• 리듬체조	• 봅슬레이	• 핸드볼	• 컬링
• 멀리뛰기	• 수상스키	• 투포환	• 스키점프	• 마라톤	• 양궁
• 레슬링	• 다이빙	• 태권도	• 요가	• 사이클	• 육상
• 요트경기	• 장대높이뛰기	• 골프	• 수구	• 승마	• 유도
• 스쿼시	• 경보	• 족구	• 카누	• 사격	• 검도

빙고판

읽고 말하기

운동해야 현명해진다

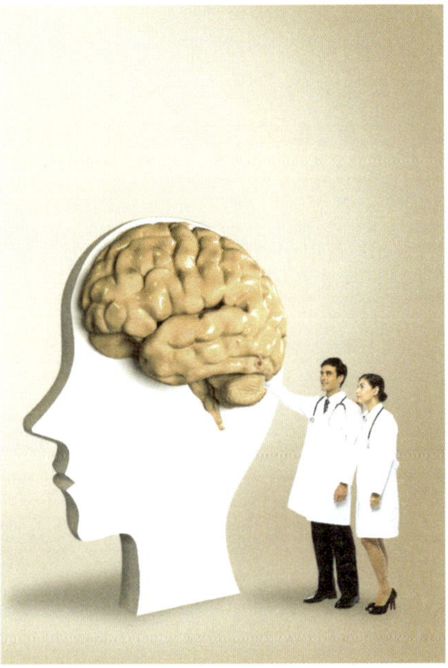

뛰어 놀 시간에 공부 한 자 더 해라. 어른들께 귀가 아프도록 들어본 얘기다. 하지만 책상머리를 지킨다고 성적이 올라가는 것이 아니라 오히려 잘 뛰어 놀수록 머리도 좋아진다는 반론이 나오고 있다. 운동과 학업의 관계를 면밀하게 짚어보자.

한 연구소에서 우리나라 학생 7만 5천여 명의 성적을 분석해 봤더니 일주일에 두 번 운동을 하는 남학생은 안 하는 학생보다 성적이 높을 확률이 34%, 세 번 운동을 하면 성적이 높을 확률이 46%로 조사되었으며, 여학생의 경우도 이와 비슷했다. 또한 미국의 한 대학에서는 운동하는 학생들의 뇌파를 측정한 연구가 있었는데 연구 결과에서 운동을 하는 학생들이 운동을 하지 않은 학생들보다 시험 점수가 더 높다는 결과가 나왔다. 이는 평소 운동을 하는 학생들은 운동 시작 단 20분 만에 두뇌 활동이 활발해졌을 때 나타나는 P3라는 뇌파의 진폭이 운동 전보다 훨씬 커져서 두뇌 활동이 매우 활발해진다고 한다. 이와 더불어 유산소 운동을 하면 기억력을 관장하는 해마에서 새로운 세포가 만들어지고 기억력이 좋아진다는 결과도 있다.

이런 결과에도 불구하고 학업 성적을 매우 중요시하는 우리는 거꾸로 가고 있다. 국내 한 유치원의 수업 모습을 관찰해 봤다. 원어민 영어 수업을 듣는 6살 아이들, 한 아이는 흥미가 없는지 딴짓을 한다. 이 유치원에서는 입학시험은 물론이거니와 반 배정을 위한 평가시험도 치르는데 체육시간은 일주일에 2시간뿐이다. 이는 그간의 연구 결과에 비추어 봤을 때 바람직하지 않다.

- 귀가 아프다
- 면밀하다
- 뇌파
- 측정하다
- 두뇌
- 진폭
- 해마
- 세포
- 딴짓
- 배정

반면, 이웃 일본의 한 유치원에서는 우리와 다른 모습이 나타났다. 유치원 학생들을 대상으로 한 실험이 이루어졌는데 눈여겨볼 만하다. 작년 오사카 시민 마라톤에는 만 5살 아이들 13명이 참여했고, 이 중 무려 11명이 6시간 51분의 기록으로 42킬로미터가 넘는 마라톤 풀코스를 완주했다. 마라톤 풀코스를 완주한 아이들은 오사카 북동쪽의 작은 유치원을 다니고 있으며 이들은 등원 후 제일 먼저 하는 일이 체육복 갈아입기이다. 긴 준비 체조 후 시작하는 달리기는 350미터 운동장을 무려 열 바퀴나 돌고 나서야 끝이 난다. 그것도 매일 아침 이뤄지는 일상이라고 한다. 달리기는 아이들에게 놀이이다. 어린 시절에는 공부보다는 뇌세포를 자극하는 운동과 놀이가 훨씬 중요하다는 연구에서 나온 교육법이다. 이처럼 운동이 학습능력을 높인다는 연구는 계속되고 있으며 위와 같은 상황들이 그 연구를 증명하고 있다. 그리고 여러 나라에서는 아이들은 운동하고 놀아야 한다는 인식이 점점 확산되어 가고 있다.

뇌 과학자들의 공통된 이야기는 아직 발달도 되지 않은 뇌에 지식을 욱여넣기보다는 어린 시절에는 우선 뇌 회로라는 그릇을 키우라는 것이다. 이를 위해 가장 효과적인 방법은 바로 아이를 뛰어 놀게 하는 것이라고 말한다. 우리의 아이들도 뛰어놀 수 있는 운동 시간을 만들어야 하지 않을까?

이민호 기자 (Leemh@inhanews.com)

- 완주하다
- 등원
- 증명하다
- 욱여넣다

1. 연구에 따르면 운동을 하는 학생과 운동을 하지 않은 학생은 어떤 차이가 있습니까?

2. 한국과 일본 유치원의 풍경이 어떻게 다릅니까?

3. 이 글의 전개 방식에 대한 설명으로 알맞은 것을 모두 고르십시오. (   )

① 운동과 학업과의 관계를 대조하여 설명하고 있다.

② 운동과 학업과의 관계를 예를 들어 자세히 설명하고 있다.

③ 운동과 학업과의 관계를 시대에 따라 순차적으로 기술하고 있다.

④ 운동과 학업과의 관계에 대한 연구 결과를 인용하여 의견을 내세우고 있다.

4. 이 글의 내용과 일치하는 것은 무엇입니까? (   )

① 공부하는 시간을 늘릴수록 학업 성적이 좋아진다.

② 운동은 학습 능력을 향상시키는 데 도움이 되지 않는다.

③ 운동을 지속적으로 하면 학업에 부정적인 영향을 미친다.

④ 유산소 운동은 기억력에 도움을 준다는 연구 결과가 있다.

5. 여러분은 어렸을 때에는 어떤 교육을 받고 자랐습니까?
어릴 때는 어떤 교육이 필요하다고 생각합니까? 친구들과 같이 이야기해 보십시오.

6. 위의 기사를 간단히 요약하고 여러분의 의견을 써 보십시오.

기사 내용 요약	
기사에 대한 나의 생각	□ 동의한다 □ 동의하지 않는다
근거	• ______ • ______ • ______

문법 및 표현

1. V-ㅁ/음직하다

: 어떤 대상이 그럴 것 같거나 그러한 상태에 있음을 나타낼 때 사용한다.

- 집들이 때 손수 준비한 음식들은 먹음직했다.
- 그 사람의 일거수일투족으로 보거니와 상당히 믿음직하다.

- 남동생은 키도 크고 어깨도 넓어서 듬직해 보인다.
- 어려운 상황에서도 자신의 욕심을 버리고 용감하게 행동하였던 점은 바람직하다고 본다.
- 실종된 아이를 찾으려고 아이가 갔음직한 곳은 전부 찾아보았지만 어디에도 없었다.

2. N도 V거니와

: 앞의 사실에 더해 뒤의 사실까지 있어서 더 어떠하다는 것을 말할 때 주로 쓴다.

- 승희는 얼굴도 예쁘거니와 마음씨까지 착해서 우리 반에서 인기가 최고이다.
- 유쾌한 직장 생활을 위해서는 업무의 내용도 중요하거니와 근무 환경도 매우 중요하다.
- 그는 맡은 일에 최선을 다했거니와 운도 좋아서 하는 일마다 큰 성공을 거두었다.
- 그 학생은 명문대도 가겠거니와 꼭 성공해서 부모님의 은혜에 보답할 것입니다.

듣고 말하기2 508

다음의 인터뷰를 잘 듣고 물음에 답하십시오.

1. 이 남자의 직업은 무엇입니까?

2. 다음 중 들은 내용과 일치하는 것을 고르십시오. (   )
   ① 운동선수로서의 생활을 계속 하기 위해 학업은 포기했다.
   ② 김 선수가 속한 팀은 다른 대학 팀에 비해서 키가 큰 편이다.
   ③ 김 선수는 10년 후에는 은퇴하고 다른 분야를 공부하고 싶어 한다.
   ④ 김 선수는 부모님의 강요에 의해 어쩔 수 없이 운동을 시작하게 되었다.

3. 기자가 한 질문을 메모형식으로 짧게 요약해 보십시오.

첫 번째 질문	1)
두 번째 질문	공부보다 배구가 더 좋았나?
세 번째 질문	배구의 정의
네 번째 질문	2)
다섯 번째 질문	본인의 장점과 단점은?
여섯 번째 질문	3)
일곱 번째 질문	인하대 배구의 특징
여덟 번째 질문	4)
아홉 번째 질문	5)

- 계기
- 순조롭다
- 전념하다
- 생생하다
- 안기다
- 장신
- 손발을 맞추다
- 엄하다
- 출전하다

4. 이 선수가 대답한 내용을 간단하게 요약해 보십시오.

첫 번째 대답	1)
두 번째 대답	공부에 싫증이 날 때 배구를 시작했다.
세 번째 대답	배구란 머리가 아닌 심장으로 하는 거라고 생각한다.
네 번째 대답	2)
다섯 번째 대답	장점은 자신감이 있고 키도 큰 편이다. (단점은 말하지 않음)
여섯 번째 대답	3)
일곱 번째 대답	인하대 선수들은 장신이라 공격력이 좋다고 생각한다.
여덟 번째 대답	4)
아홉 번째 대답	5)

5. 만약 여러분이 기자라면 추가하고 싶은 질문이 무엇인지 이야기해 보십시오.

문법 및 표현

1. DV-기(가) 그지없다

: 어떤 상태가 끝이 없을 정도임을 나타낸다.

- 웨딩드레스를 입은 그녀의 모습은 아름답기 그지없었다.
- 네가 어려운 시험에 합격했다니 자랑스럽기 그지없구나.
- 학생들이 보는 앞에서 그런 수모를 당하니 부끄럽기 그지없었다.

2. V-ㄴ/는다고 할까?

: 대화 시 시간 끌기의 표현으로 말할 때 생각하기 위해 시간을 끌거나 상대방에게 조심스럽게 자신의 생각을 말할 때 쓴다.

가 : 어제 새벽에 올림픽 경기 봤어요? 느낌이 어땠어요?
나 : 글쎄요. 기분이 후련해졌다고 할까? 지난 올림픽 경기 때의 수모를 말끔히 씻었잖아요.
가 : 맞아요. 뭐랄까? 선수들의 땀의 결실이 보였던 것 같아 저도 기분이 좋더라고요.

쓰고 말하기

여러분이 소식을 전할 수 있도록 신문 기사를 작성해 보십시오.

		간단하게 메모
누가 : 언제 : 어디에서 : 무엇을 : 어떻게 : 왜 :	→	______ ______ ______ ______ ______ ______

신문 기사의 전문을 기사문의 형식에 맞춰 써 보십시오.

통합 활동

1. 여러분 스스로 인터뷰 계획을 세워 보십시오.

인터뷰 계획 예시

▷ 인터뷰 대상	세계 음식 문화 축제에 참가한 외국인 학생들
▷ 인터뷰 목적	인하대의 대표적인 축제를 홍보하기 위해
▷ 인터뷰 질문	• 간단한 자기소개를 부탁드립니다. • 어떤 요리를 만들었습니까? • 그 요리를 만들기로 결정한 이유는 무엇입니까? • 축제에 참가한 소감이 어떻습니까? • 이곳을 찾아온 사람들에게 하고 싶은 말 한마디 해 주시기 바랍니다.

▷ 인터뷰 목적	
▷ 인터뷰 대상	□ 시험 기간에 도서관에서 밤을 새며 공부하는 대학생들 □ 우리 학교 학생들이 뽑은 최고의 맛집 사장님 □ ______________________
▷ 인터뷰 방법	
▷ 인터뷰 시간	
▷ 인터뷰 장소	
▷ 인터뷰 내용	

2. 인터뷰를 할 때 자주 사용하는 표현을 알아 보십시오.

1. 인터뷰 시작할 때

- 안녕하세요. 저는 인하대 언어교육원에 재학 중인 ________________ 입니다.
- 바쁘신 중에도 인터뷰에 응해 주셔서 고맙습니다.
- 이렇게 직접 만나 뵙게 되어 영광입니다.

2. 인터뷰 내용에서 자주 쓰이는 표현

- 요즘 ____________________로 활발하게 활동 중이라고 들었습니다.
- ____________________________이/가 한창이라 많이 바쁘시지요?
- 최근 신문 기사를 통해서 ___________________다는 소식을 들었습니다.
- ________________께서 어떻게 이 일을 하게 되셨는지 궁금합니다.
- 인생 선배로서 대학생들에게 해 주고 싶은 말이 있습니까?

3. 인터뷰 끝낼 때

- 벌써 시간이 이렇게 흘렀네요. 마지막으로 ___________________________?
- 이렇게 귀한 시간 내 주시고 좋은 말씀을 들려 주셔서 감사합니다.
- 끝까지 성실하게 답변해 주셔서 감사드립니다.
- 앞으로도 좋은 활동하시기를 바랍니다.
- 기회가 된다면 다시 만나 뵙게 되기를 기대하겠습니다.

3. 계획에 따라 직접 인터뷰를 하고 인터뷰 한 내용을 정리해서 발표하십시오.

문화 산책

스포츠 콩글리시

콩글리시(Konglish)란 한국어와 영어가 합쳐진 표현으로 Korea와 English의 합성어이다. 이는 한국인들이 일상생활에서 무심결에 잘못 사용하는 영어를 일컫는다. 실제로 우리가 사용하고 있는 콩글리시는 영어권 나라에서는 사용하지 않는 표현이 대다수이다. 그럼에도 불구하고 한국인들이 영어를 오역하거나 편의상 굳어진 잘못된 영어 표현들을 마치 실제 영어권 나라에서 사용하는 것처럼 여겨 사용하는 경우가 빈번하다. 영어가 모국어인 사람들은 이런 말을 이해조차 못하는 경우가 많으므로 바른 표현을 익히고 올바르게 바꿔 쓰려는 노력을 해야겠다.

	의미	콩글리시	바른 영어 표현
1	스포츠맨	sport man	athlete(s)
2	파이팅	fighting	go go!
3	백넘버	back number	uniform number, jersey
4	노골	no goal	no point
5	터치 아웃	touch out	tag out
6	헤딩	heading	header
7	슛골인(축구)	shot goal in	shot! goal
8	오버헤드킥(축구)	overhead kick	bicycle kick
9	더블 플레이	double play	get two
10	러닝셔츠	running shirts	tank top
11	츄리닝	training	sweat suit
12	사인	sign	autograph
13	포볼(야구)	four ball	base on balls
14	데드볼	dead ball	hit by a pitch
15	투 스트라이크 원볼(야구)	two strike one ball	one ball two strikes

M.E.M.O.

제5과 세계 속의 한류

학습 주제
한국의 대중문화

학습 목표
한류에 관한 글과 한국 영화를 이해하고 단편 영화를 제작한다.

어휘 학습
감상 관련 어휘

듣고 말하기
뉴스 듣고 대화하기
라디오 통신원 소식

읽고 말하기
소설 및 시나리오

쓰고 말하기
영화평

문법 및 표현
한국어의 주어 및 주격 조사 생략
V-거들랑, V-(으)리만큼, AV-자면

통합 활동
시나리오 쓰기 및 단편 영화 제작

문화 산책
안티 문화

5 세계 속의 한류

들어가기

1. 여러분이 생각하는 '한류'란 무엇인지 이야기해 보십시오.

2. 해외에 알리고 싶은 여러분 나라의 문화로는 어떤 것이 있습니까?

듣고 말하기1 509

다음 뉴스를 듣고 질문에 대답하십시오.

1. 뉴스를 들은 후 두 사람의 반응은 어떻습니까?

2. 뉴스의 내용을 들으면서 육하원칙에 맞게 메모하십시오.

육하원칙	내용
1) 언제?	
2) 어디에서?	
3) 무엇을?	
4) 어떻게?	
5) 누가?	
6) 왜?	

- 한류
- 대거
- 일대
- 얼씬
- 질색이다

3. 우리 반의 소식을 뉴스의 형식에 맞춰 간단하게 정리한 후 발표해 보십시오.

어휘 학습

1. 다음 단어에 맞는 알맞은 의미를 찾아 연결해 보십시오.

1) 표절 •	• 가)	어떤 행위를 한 사람이 누구인지 모르는 성질
2) 명예훼손 •	• 나)	인기 스타가 유명함으로 인해 피해나 곤욕을 당함
3) 익명성 •	• 다)	어떤 대상을 좋게 평가 함
4) 황금 시간대 •	• 라)	공공연하게 다른 사람의 사회적 평가를 떨어뜨리는 사실이나 허위 사실을 지적하는 행위
5) 선정적 •	• 마)	성적으로 지나치게 자극적인 것
6) 유명세 •	• 바)	라디오나 텔레비전에서 시청률이 가장 높은 시간대
7) 호평 •	• 사)	다른 사람의 저작물의 일부 또는 전부를 몰래 사용하는 행위

2. 다음에서 알맞은 것을 골라 문장을 완성하십시오.

비록	꽤	차라리	방금	금방	좀처럼	도무지

1) 문화수업에 타고 갈 버스가 ________ 도착했다고 해서 뛰다시피 걸어왔다.

2) 이번 올림픽에서 ________ 좋은 성적을 거두지는 못했지만 최선을 다했기에 만족한다.

3) 내가 저렇게 쇼핑중독인 사람과 결혼하느니 ________ 노총각으로 혼자 살겠다.

4) 우리 반 대부분의 친구들은 외국인치고 매운 음식을 ________ 잘 먹는 편이다.

5) 여자친구 생일이라서 선물에 편지까지 준비해갔는데 화를 내는 이유를 ________ 모르겠다.

6) 그 친구는 옷에 커피를 쏟아서 기숙사에 가서 옷을 갈아입고 ________ 온다고 했다.

7) 그 사람은 다른 사람들 앞에서 ________ 말을 많이 하지 않아 무뚝뚝하다는 소리를 듣곤 한다.

3. 다음에서 알맞은 것을 골라 문장을 완성하십시오.

귓가에 맴돌다	마음을 사로잡다	입소문이 자자하다
마음을 울리다	눈이 휘둥그레지다	코끝이 찡하다
등을 돌리다	감탄을 금치 못하다	

1) 나이아가라 폭포에 직접 와서 보니 광활한 자연 앞에서 감탄을 금치 못했다.

2) 가 : 너 요즘 매일 그 식당만 가는 것 같아.

나 : 응, 사실은 가게 아르바이트 학생이 어찌나 예쁘던지 ______________________.

3) 가 : 제냐, 너 영화 보는 내내 울더라. 넌 정말 감수성이 풍부한 것 같아.

나 : 응, 집을 잃어버린 개가 주인을 찾으러 가는 장면부터 ______________________.

4) 다큐멘터리에 출연한 삼남매 할머니의 가슴 아픈 사연은

많은 시청자들의 ____.

5) 가 : 동대문역에 새로 생긴 박물관에 가 봤어? 주말에 가 보려고 하는데…….

나 : 응, 지난주에 서울패션쇼가 있어서 다녀왔거든. 너도 가서 보면 엄청난 규모에

____.

나도 그렇게 클 줄은 정말 몰랐는데 엄청나더라고.

6) 가 : 너 새로 나온 최강미남의 앨범 중에서 '하지마' 들어 봤니? 중독성이 있는 것 같지 않아?

나 : 응, 노래가 몽환적이면서 멜로디는 쉽고 몇 번 안 들었는데 계속 ______________.

7) 가 : 주말에 대학로 안 가 볼래? 누리꾼 사이에서 ______________ 연극이 공연 중이래.

나 : 그거 좋은 생각인데? 오랜만에 문화생활을 좀 누려 볼까?

8) 인기 가수 겸 배우인 모 연예인이 연이은 마약 복용으로 입건되어 팬들은 결국

____.

4. 다음은 정도에 관한 한자성어입니다. 관계있는 말과 연결해 보십시오.

1) 칠전팔기 •	• 가)	우리가 잘 아는 흥부와 놀부, 춘향전 등의 이야기의 결말은 항상 나쁜 사람은 벌을 받는다는 내용이더라.
2) 죽마고우 •	• 나)	그 사람은 운전면허시험에 일곱 번이나 떨어졌지만 포기하지 않고 마침내 여덟 번째 시험에서 합격을 하고야 말았다.
3) 비일비재 •	• 다)	최근 개인정보 유출 사건이 상당히 자주 일어나고 있다. 근본적인 해결책을 찾지 않는다면 추후에 더 심각한 사태가 일어날 것이다.
4) 권선징악 •	• 라)	이번 주말에 결혼하는 친구는 나의 힘든 유년시절을 함께 보낸 15년 지기 친구이다.

읽고 말하기

승민은 건축학개론 수업 시간에 늦게 들어오는 한 여학생에게 시선이 멈춘다. 나중에 알고 보니 그 여학생은 승민과 같은 동네에 살고 있었다. 그러던 어느 날 건축학개론의 과제를 하러 동네를 돌다가 승민과 서연은 우연히 만나게 된다. 그렇게 둘은 친해지게 되면서 승민은 점점 고민이 많아진다. 그는 아직 사랑에 대해 잘 모른다. 그리고 그는 그녀와의 관계를 어떻게 이어 나가야 할지도 도무지 감이 안 잡힌다. 오랜 고민을 하다 친구 납득이에게 자신의 이야기가 아닌 남의 이야기인 듯 슬쩍 돌려 연애 상담을 받으려 한다.

"그게 너지? 내가 족집게거들랑."

납득이에게 친구의 연애라면서 고민을 꺼내자 귀신같은 반응을 보이며 승민이에게 조언을 해 준다. 납득이에게 조언을 들었지만 승민은 이상하게도 그녀 앞에만 서면 어떻게 해야 할지 눈앞이 캄캄해지곤 한다. 그는 조언을 들었어도 그저 막막할 뿐이다. 납득이는 결국 승민에게 극단의 조치를 내린다.

"고백해. 내 아이를 낳아 달라고, 남자답게, 딱."

- 감
- 슬쩍
- 족집게
- 극단
- 조치

그날부터 승민은 고백에 대해 생각하고 또 생각한다. 그녀에게 다가가기로 결심한 그는 서연이 전에 부탁한 것을 실행에 옮기기로 마음을 먹는다. 그녀를 위해 밤을 새워 가며 서연이 살고 싶은 집의 모형을 만들어 낸다.

마침내 그날이 왔고 승민은 온종일 거울 앞에 서서 중얼중얼 대며 자신의 마음을 표현하려 애쓴다. 그러고는 맨정신으로는 용기가 안나 결국 소주 한 잔을 걸치고 서연의 집 앞에서 그녀를 기다리기 시작한다. 시간이 얼마나 지났을까, 서연의 집 앞에 어떤 차가 들어온다. 그리고 그 차에서 술에 취한 서연이 내린다. 반가운 마음과 섭섭한 마음이 교차되며 그녀에게 다가가려는데 차에서 내리는 사람이 서연만이 아니었다. 승민의 과 선배가 그녀를 부축하며 서 있었다. 예전에 그 선배가 자랑스럽게 하던 말이 자꾸 생각난다.

'내 여자로 만들려면 제일 먼저 술에 취하게 만들어. 그럼 끝.'

승민은 그 선배가 원망스럽고 그렇게 술에 취해 몸을 가누지 못하는 서연이에게는 더욱 화가 난다. 그리고 자신이 좋아하는 여자를 돕지 못하고 이렇게 몰래 훔쳐보고 있는 자신이 밉고 하찮아 보였다. 결국 승민은 그녀에게 주려던 집 모형을 쓰레기더미에 던지고 발길을 돌린다.

1. 다음 중 이 글에서 나타난 승민의 심정으로 알맞지 않은 것은 무엇입니까? (　　　　)

① 허탈하다

② 짜증나다

③ 다급하다

④ 자괴감에 빠지다

2. 다음 중 이 글과 일치하는 내용을 고르십시오. (　　　　)

① 승민은 서연과 같은 수업을 듣기로 약속을 하였다.

② 승민은 서연이 학교 선배와 잘 사귀기를 진심으로 바란다.

③ 승민은 서연을 좋아해서 친구 납득이에게 고민 상담을 받았다.

④ 서연은 승민이 자신을 짝사랑하고 있다는 것을 이미 알고 있다.

3. 만약 내가 승민이라면 위와 같은 상황에서 어떻게 대처하겠습니까?

- 애쓰다
- 맨 N
- 교차되다
- 부축하다
- 원망스럽다
- 가누다
- 하찮다
- N 더미

4. '첫사랑은 이루어지지 않는다.'라는 말을 들어 본 적이 있습니까? 여러분은 이 말에 동의합니까?

줄거리

스무 살, 건축학과에 다니는 승민은 '건축학개론' 수업에서 처음 만난 음대생 서연에게 첫눈에 반한다. 승민은 서연이 자신과 같은 동네에 살고 있는 것을 알게 되고 함께 숙제를 하게 되면서 차츰 친해지게 된다. 그리고 승민은 서연이 좋아지지만 고백하지 못한다. 좀 노는 친구 납득이의 조언이 있었지만 첫사랑의 고백은 쉬운 일만이 아니다. 그러던 어느 날 밤, 늦게까지 서연의 집 앞에서 서연을 기다리던 승민은 학교 선배와 같이 있는 서연의 모습을 목격하게 된다. 그 날 이후로 승민은 서연과 멀어지게 된다. 오랜 시간이 지난 후 갑자기 나타난 서연은 건축가가 된 승민에게 제주도에 집을 지어 달라고 부탁을 한다. 그 과정에서 지나간 시절 마음속에 담아 두었던 이야기를 하면서 오해가 조금씩 풀린다.

5. 다음 대본을 함께 읽고 친구들과 배역을 정해 역할극을 해 보십시오.

1. 철길, 과거

해질녘. 먼 산 뒤로 붉게 노을이 진다. 감탄하며 먼 하늘을 바라보는 둘.

서연 나 오늘 생일이다.
승민 (깜짝) 오늘?
서연 응.
승민 근데...... 왜. 나랑...... 생일이면 친구들이랑 같이...... 파티하고 그런 거......
서연 넌 내 친구 아니야?
승민 (배시시 웃으며) 진작 얘기했으면 선물이라도 준비할걸.
서연 해 줘. (웃는 표정을 지으며)
승민 뭐 해줄까? (웃는 표정을 지으며)
서연 나중에 이런 데다 집 짓고 살 거야. 그때 니가 지어줘. 공짜로. 알았지?
승민 당연하지!

서연이 계산서 뒷면에 즉흥적으로 그림을 그리기 시작한다.

서연　난 어떤 집에서 살 거냐면...... 일단 2층집. 창이 많고.
여기가 거실이랑 안방. (슥슥)애들 방은...... 애는 둘 정도 낳을 거니까......(슥슥)

(중략)

승민　저기...... 첫 눈 올 때...... 뭐 해?
서연　첫 눈? 그거 언제 오는데?
승민　(당황한) 아...... 그러니까...... 글쎄...... 보통 겨울에...... 때 되면......
서연　우리 그때 만날까?
승민　......!
서연　재밌겠다. 첫 눈 오면 무조건 니네 동네. 그 빈 집에서 보기로. 어때?
승민　어...... 뭐...... 그럴까. 그럼?

문법 및 표현

1. V-거들랑

: 뒤 문장의 조건을 나타내거나 앞에서 언급한 내용에 대한 이유나 생각을 나타낸다.

- 좋은 기회가 오거들랑 놓치지 말고 잡으세요.
- 빌려 줄 돈이 좀 있거들랑 아시프 씨에게 좀 빌려 줍시다.
- 좋은 정보이거들랑 혼자만 알지 말고 공유 좀 합시다.
- 그 사람은 말버릇이 안 좋아서 친구들이 싫어하거들랑.

2. 한국어의 생략

: 한국어로 이야기 할 때 주어, 목적어, 서술어를 생략하며 말하는 상황이 있다.
다음과 같은 상황에서는 생략이 가능하다.

1) 대화 시 말하는 사람과 듣는 사람이 주어, 목적어를 잘 알고 있는 경우에 생략이 가능하다.
서연 : (나한테 선물을) 해 줘.
승민 : (내가 너한테) 뭐 해줄까?
엄마 : (사람은) 늙으면 다 죽는 거지.

2) 앞 문장에서 나온 주어, 목적어가 되풀이 되는 경우에 생략이 가능하다.
서연 : 옛날에 우리 가족이 살던 집인데... (집이) 너무 낡아서.
이번에 (집을) 싹 밀고 제대로 새로 지으려고.

3) 대화할 때 앞의 문맥에 의해 서술어가 무엇인지 알 수 있는 경우에 생략이 가능하다.
서연 : 어제 집에 몇 시에 들어갔어?
승민 : 9시에.(들어갔어)

3. 주격 조사의 생략 가능

: 한국어로 이야기 할 때 조사 없이 명사만으로도 주어라는 것을 파악하는 데 어려움이 없을 때 주격 조사를 생략하는 경우가 있다.

1) 가 : 아멜리는 집에 갔니?
   나 : 응, 아멜리(는) 집에 갔어.

2) 가 : 너 내일 뭐 할 거니?
   나 : 나(는) 내일 아르바이트를 할 거야.

3) 가 : 흐엉이 집에 있어요?
   나 : 흐엉(은) 집에 없는데...

※ 다음은 TV드라마 대본입니다. 밑줄 친 부분의 대화에서 무엇이 생략되었는지 알아보십시오.

인기 배우 백송이가 새로 이사한 집으로 가는 도중 차 안에서

매니저 : (안타까운 표정으로 쳐다보며) 1) **누나, 탈퇴하자니까요?** ⇒ ____________

백송이 : (스마트폰을 만지작거리면서) 2) **싫다니까.** ⇒ ____________

야, 나 지금 SNS 친구가 2만 명이야.

매니저 : 그게 무슨 친구예요? 그리고 누나, 갈릭 피자 사건 한 달도 안 됐어요.

지금 악플 진짜 장난 아니에요.

백송이 : 운전이나 해. 왜 내려? 따라 오지마!

매니저 : (당황한 표정으로) 아니, 집도 모르시잖아요.

백송이 : 3) **왜 몰라?** ⇒ ____

갈릭이 마늘인지 모르면 집도 못 찾아갈 줄 아냐?

매니저 : 누나, 혼자 엘리베이터 타는 것도 그렇고……. 모셔다 드릴게요.

4. 주격 조사의 생략 불가

: 다음과 같은 상황에는 주격 조사의 생략이 불가능하다.

1) 서술어가 필요로 하는 주어, 목적어, 서술어가 이미 생략된 경우에는 주격 조사의 생략이 불가능하다.

예) 엊그제 후배가 나에게 전화를 했다.(○) → 완벽한 문장
엊그제 후배가 전화를 했다.(○) → 목적어가 생략되었으나 의미 전달이 가능한 문장
엊그제 후배 전화를 했다. (×) → 목적어를 생략한 데다가 주격조사까지 생략하여 문장의 의미 전달이 안 됨

2) 여러 가지 가능성 중 특정한 것을 지정하여 말할 경우에는 생략이 불가능하다.

- 흐엉이 로빈보다 팔씨름을 더 잘 해요. (○)
- 흐엉 로빈보다 팔씨름을 더 잘 해요. (×)
- 여름에는 뭐니 뭐니 해도 바다에서 수영을 하는 것이 제일이다. (○)
- 여름에는 뭐니 뭐니 해도 바다에서 수영을 하는 것 제일이다. (×)

3) 그 뜻을 강조할 경우 생략이 불가능하다.

- 일이 안 풀리자 결국 엄마가 직접 나서게 되었다. (○)
- 당신이 나를 배신할 줄이야.(○)
- 너 어떻게 그만한 일을 맡을 수 있니? (×)

4) 주어를 수식하는 말이 길 경우 생략이 불가능하다.

- 평소에 화를 잘 안 내던 네가 그렇게 불같이 화를 내다니 믿을 수가 없다.
- 이 팔찌는 할머니께서 졸업 선물로 나에게 주신 것이다.

5) '누가, 무엇이, 어떤 N' 로 된 질문의 대답을 하는 경우에는 생략이 불가능하다.

가 : 누가 여기에 오라고 했어요?
나 : 아멜리가 오라고 했어요.

가 : 지금 무엇이 제일 먹고 싶어요?
나 : 고향음식이 제일 먹고 싶어요.

가 : 어떤 게 제일 마음에 들어요?
나 : 저기 있는 보라색 화분이 좋은데요.

듣고 말하기2 510

1. 무엇에 대해 이야기하고 있습니까?

2. 통신원이 자부심을 느낀 이유는 무엇입니까?

3. 다음 중 통신원이 말한 내용과 맞지 않는 것은 무엇입니까? (　　　　)

① 프랑스의 한류열풍은 아직 활성화되고 있지 않다.

② 프랑스의 청소년들이 한국 노래에 열띤 반응을 보이고 있다.

③ 프랑스의 많은 국민들의 한국 노래와 한국어에 대한 관심이 증가하고 있다.

④ 프랑스의 대학 학과 중에서 한국어학과에 대한 인기가 날로 높아지는 중이다.

4. 여러분 나라에서의 한류의 모습은 어떻게 나타나고 있습니까?

고국의 뉴스 기사를 검색해 본 후 인상적인 내용을 친구들과 이야기해 보십시오.

- 급부상
- 체감
- 통신원
- 열풍
- 과언
- 불과
- 콧대 높다
- 일다
- 이색적
- 진풍경
- 촉구하다
- 북새통
- 암표
- 무려
- 타국
- 응시생
- 폭
- 괜스레
- 여세

문법 및 표현

1. V-(으)리만큼

: 앞의 내용의 근거가 되어 뒤의 내용을 말할 때 사용한다.

- 죽이 먹어도 되리만큼 식었다.
- 그 영화는 몇 번이나 보았으리만큼 유쾌한 영화였다.
- 그렇게 상한 음식을 먹으리만큼 쫄쫄 굶지는 않았다.
- 이럴 때 보면 안드레이는 이상하리만치 매정해.
- 과장님은 놀라우리만치 빠른 속도로 일을 마친다.

2. AV-자면

: 어떤 의도나 목적을 가정하여 그 조건에 따라 다른 어떤 행위를 하거나 조건에 맞는 상태에 있음을 나타낼 때 사용한다.

- 한국에서 살자면 한국말부터 배워야 합니다.
- 사고력을 넓히자면 어렸을 때의 독서량이 매우 중요하다.
- 업무를 오늘까지 끝내자면 밤을 꼬박 새워야 할 것 같습니다.

쓰고 말하기

영화평 쓰기

제목		
들어가는 말		영화에 대한 대략적인 소개 (장르, 줄거리, 시대 상황, 등장인물, 감독 등)
본문		영화 줄거리, 개인적으로 인상적이었던 장면
		영화가 전달하고자 하는 메시지 (감독의 의도, 영화 기법의 특징 등)
		영화에서 제시한 문제에 대한 영화감독의 생각 (장면, 메시지)
맺는말		전체적인 영화의 총평
평가	글쓰기 형식에 잘 맞췄는가?	☆☆☆☆☆
	자신의 생각이나 느낌을 글의 흐름에 잘 맞췄는가?	☆☆☆☆☆
	어휘 및 문법을 정확하게 사용했는가?	☆☆☆☆☆

통합 활동

친구들과 직접 시나리오를 써 보고 단편 영화를 찍어 보십시오.

1. 감명 깊게 본 영화 중에서 각색하고 싶은 부분이 있습니까?

영화 제목 :	어떤 부분을 각색하고 싶습니까?

2. 조 별로 제작 일정을 논의해 보십시오.

	이름	일정
감독		
시나리오 집필 및 편집		
배우		
촬영 편집		

3. 친구들과 함께 촬영할 영화의 시나리오를 구상해 보십시오.

4. 친구들과 함께 영화의 한 장면을 간단히 만들어 보십시오.

5. 친구들이 만든 영화를 감상한 후 평가해 보십시오.

영화 제목 :	
영화에서 좋았던 점, 칭찬해 주고 싶은 점	**영화에서 좀 더 보완했으면 하는 점**
• • •	• • •

문화 산책

안티(Anti) 문화

2만 6500여개. 25일 현재 인터넷 포털사이트 검색창에 '안티 카페'를 입력해 검색되는 카페의 숫자이다. 최근에는 8살 난 어린 연예인의 안티카페까지 등장해 큰 논란이 일었다. 어린 아이마저 안티 카페의 표적이 됐다는 사실에 사람들은 분노했다. 그리고 그렇게까지 나쁜 말을 내뱉는 인간 심리에 대해 의아함까지 들었다.

전문가들이 분석한 안티 카페의 심리학은 씁쓸하다 못해 애처롭기까지 했다. 범죄 심리학자들은 사람들이 안티 카페를 통해 평소 자신의 공격성을 해소하고 있는 모습이라고 진단했다. 대중의 호응과 지지를 받는 유명인을 공격하는 부적합한 방식으로 자신들의 생활의 스트레스를 일정 정도 푼다는 얘기다. 또한 남들의 뒷담화를 하는 인간의 습성이 온라인으로 옮겨간 것이라고도 했다.

이런 말을 듣다 보니 한편으로는 안티 카페 구성원들이 나쁜 사람이라기보다 불쌍한 사람에 더 가깝다는 생각이 들었다. 삶이 좀 덜 힘들었거나 대체로 견딜만했다면, 그들은 남을 깎아내리는 못난 방식으로 자기 자신을 위로할 필요가 없었을 테니 말이다. 안티카페는 비난 받아 마땅한 일이지만, 그렇다고 안티 카페 사람들을 강제적으로 처벌하자는 데는 여러 사람의 동의를 받아 내기 쉽지 않다.

이와 같이 모 어린이 연예인 안티 카페 사건이 계기가 되어 오히려 어린이 연예인을 감싸는 '사랑해 운동'으로 변화된 것은 네티즌들 스스로도 옳고 그름을 판단할 수 있다는 점을 보여주는 좋은 예이다. 이처럼 인터넷 공간에 악(惡)을 상쇄할 만큼 선(善)이 많다면 법률을 통한 강제적 규제는 낭비일 것이다. 차라리 못난 사람들이 안티 카페를 시작하게 된 사회적 동기가 무엇인지 돌아보는 것이 더 효과적이다.

M.E.M.O.

제6과 나누는 기쁨

학습 주제
나눔과 실천

학습 목표
다양한 나눔의 사례를 살펴보고 봉사의 목적을 생각하고 표현할 수 있다.

어휘 학습
봉사 관련 어휘

듣고 말하기
기부 관련 대화
자원봉사의 올바른 방향 모색을 위한 토의

읽고 말하기
공정무역 관련 기사문

쓰고 말하기
사회 공헌 상장 수여하기

문법 및 표현
V–ㄴ/는다기보다는, N이자 N이다, V–건마는,
V–으/느냐에 달려있다, V–ㄴ/는다손 치더라도

통합 활동
봉사의 바른 자세와 목적에 대해 토의하기

문화 산책
한국의 수화 배우기

구세군
자선냄비

6 나누는 기쁨

들어가기

1. 나눔이 필요한 대상으로는 누가 있습니까?

2. 봉사나 기부 등을 통해 다른 사람에게 도움을 준 경험에 대해 이야기해 보십시오.

듣고 말하기1 511

두 사람의 대화를 잘 듣고 질문에 대답하십시오.

1. 자르갈이 소개한 어플리케이션의 특징으로 알맞은 것을 모두 고르십시오. (　　　　　)

① 걷는 거리에 따라 기부금이 적립된다.

② 참여하는 사람에게도 이로운 점이 있다.

③ 기부금은 학비 마련이 어려운 아이들에게 전달된다.

④ 일정 금액을 입금하여 기부하는 형식으로 참여할 수 있다.

⑤ 재정과 시간이 넉넉하지 않은 사람들도 쉽게 모금에 동참할 수 있다.

2. 서로에게 이롭고 좋은 일이라는 뜻의 속담은 무엇이 있습니까?

3. 여러분이 알고 있는 다양한 나눔의 사례에 대해 이야기해 보십시오.

4. 나눔을 실천했을 때 얻을 수 있는 유익에 대해 생각해 보십시오.

1. V-ㄴ/는다기보다는

: 앞 문장이라고 말하는 것보다 뒤 문장이라고 말하는 것이 더 나음을 나타낸다.

- 도서관에 공부를 하러 간다기보다는 잠을 자러 가는 셈이다.
- 그 사람을 싫어한다기보다는 아직 어색해서 다가가기가 쉽지 않았을 뿐이다.
- 환경이 안 좋았다기보다는 노력을 하지 않아서 나타난 결과라고 생각한다.
- 정민지 씨는 예쁜 얼굴이라기보다는 매력이 있는 얼굴을 가진 사람이다.

- 적립금
- 넉넉하다
- 절차
- 누이 좋고 매부 좋다

* 앱(App)

어휘 학습

1. 아래에서 설명하고 있는 봉사의 방법은 무엇인지 찾아 쓰십시오.

재능기부	물품기증	공정거래무역	재해 구호활동	위문활동

	1) 소외된 이웃을 찾아 함께 시간을 보내며 따뜻한 마음을 나누는 일 ______________
	2) 전쟁이나 자연재해로 피해를 입은 지역을 방문하여 복구에 동참하는 일 ______________
	3) 도움의 손길이 필요한 곳에 식량, 약품, 학용품 등의 물건으로 후원하는 일 ______________
	4) 자신이 가진 재능을 사회에 기부하는 새로운 기부 형태 ______________
	5) 제3세계의 생산자가 만든 물건을 공정한 가격에 거래하는 방식 ______________

2. 다음은 나눔에 관한 한자성어입니다. 관계있는 말과 연결해 보십시오.

1) 다다익선 •	• 가)	같은 경험을 했던 사람들을 만나서 이야기를 나누니 더욱 큰 위로가 되었어요.
2) 이심전심 •	• 나)	기증품이 많으면 많을수록 더 많은 수혜자가 생기겠지요.
3) 상부상조 •	• 다)	성금을 모아 입원한 학생을 돕고 싶다는 생각을 했는데 여러분도 같은 생각을 하고 있었군요.
4) 동병상련 •	• 라)	혜원 씨 덕분에 이번 일을 무사히 마칠 수 있었어요. 다음에 제가 도울 일이 있으면 꼭 연락주세요.

3. 다음의 상황과 관련된 관용표현을 찾아 써 보십시오.

입을 모으다 발길이 뜸하다 눈 뜨고 볼 수 없다 발 벗고 나서다

1) 이번 지진으로 인해 소중한 가족과 재산을 잃은 사람들의 모습을 차마 ______________________________.

2) 물에 빠진 아이를 구한 임산부의 용감함에 모든 사람들이 ______________________ 칭찬했다.

3) 기름 유출 사고로 인해 인근 해변 어민들이 실의에 빠지자 젊은 청년들이 ______________________ 복구 작업을 돕기 시작했다.

4) 개인주의가 팽배해짐으로 인해 양로원을 찾아오는 봉사자의 ______________.

읽고 말하기

초콜릿 원료인 카카오는 중앙아프리카 지역이 주생산지이다. 이들 나라 아이들은 값싼 임금을 받으며 카카오농장에서 혹사를 당하건마는 정작 높은 관세로 인해 가공된 초콜릿을 사 먹을 엄두도 못 낸다. 유명 상표의 축구공은 보통 10만 원이 넘는 가격으로 판매된다. 그러나 어린이가 이 공 하나를 만들면 인건비로 1달러를 받는 게 고작이다. 이 나라의 하루 세 끼 식비는 2달러 정도로, 공을 하나 만드는 데 평균적으로 2~3일이 걸리는 어린이는 하루 세 끼 식사를 할 수 없다는 계산이 나온다. 축구공 공장의 경우는 그나마 나은 편이다. 카펫 공장에서 하루 10시간 이상 일하는 아이들은 한국 돈으로 약 23원을 받는 게 전부이다. 이런 열악한 상황은 한 아이의 죽음을 통해서 세상에 알려졌다. 아버지의 빚 때문에 카펫 공장에 팔려간 소년이 6년을 일하고도 빚이 계속 늘어가자 그 상황을 견디지 못하고 탈출을 감행했다. 그 소년은 자신과 함께 일하던 만 명의 아이들이 그곳을 빠져나오도록 도왔지만 결국 누군가가 쏜 총에 맞은 채로 발견되었다. 그리고 그의 죽음 뒤에는 카펫 공장 사장들이 있을 것이라는 추측이 난무했다.

공정무역이란 이처럼 열악한 환경에서 생산자가 만든 제품을 직거래를 통해 정당한 대가를 지불하고 소비하는 것을 말한다. 이는 가난에서 벗어날 수 없었던 생산자와 국가에 단순히 원조를 제공하는 것이 아니다. 정당한 무역을 통해 지속 가능한 발전에 기여하자는 취지를 갖고 1950년대부터 미국과 유럽을 중심으로 시작된 것이다.

공정무역은 '착한 소비 운동'이라고도 부른다. 아동 노동을 사용하지 않고 여성들의 인권을 보장하며 안전한 작업 공간에서 제품을 만듦으로써 생산자의 기본적인 권리를 보호한다. 공정무역은 비단 생산자에게만 유익한 것이 아니다. 소비하는 입장에서는 윤리적인 제품 소비를 통해 도덕적인 만족감을 느낄 수가 있고 친환경적인 제품을 사용할 수 있다는 장점이 있다. 또한 재배과정에서는 화학비료 대신 퇴비를 쓰는 등의 친환경 재배를 하니 환경보호에도 도움이 된다.

한국에서 판매되는 공정무역 제품은 커피 외에도 초콜릿, 올리브오일, 설탕 등으로 아직 가짓수가 많지 않지만 공정무역을 위한 노력은 꾸준히 이어지고 있다. 그 중에서도 인천은 국내에서 처음으로 '공정무역 도시'를 선언한 곳으로서 제3세계 공정무역과 대북 공정무역 등에 나서고 있다. 현재는 '아이쿱(Icoop) 인천 생협', '공정무역 인천 광장' 두 곳을 공정무역 업체로 선정하여 판매는 물론이거니와 보조금도 지원하고 있다. 대북 공정무역과 관련해서는 북한의 더덕을 수입하여 가공해 판매하는 시도가 이루어졌다. 그리고 이 판매 수익금의 일부로 북한 어린이에게 우유를 지원한다.

- 임금
- 혹사
- 엄두
- 열악하다
- 감행하다
- 난무하다
- 취지
- 비단
- 퇴비
- 가짓수
- 재배하다
- 대북
- 육성하다
- 면모

인천시는 경제성장만을 목표로 하는 것이 아니라 국제적으로도 책임 있는 도시가 되기 위해 공정무역을 추진하고 있다. 이와 동시에 관련 단체를 사회적 기업으로 육성하고 공정무역 제품을 사용할 식당 및 가게 모집, 카페 확대와 같은 다양한 노력을 통해서 공정무역 도시로서의 면모를 갖춰 나가고 있다.

1. 공정무역이란 무엇입니까?

2. 공정무역이 시작된 목적은 무엇입니까?

3. 공정무역을 통해 생산자와 소비자가 얻을 수 있는 것은 무엇입니까?

생산자	소비자

4. 인천시에서 공정무역을 위해 노력하는 일로 알맞은 것을 고르십시오. (   )

① 공정무역 제품의 생산

② 선진국과의 공정거래무역

③ 공정무역 업체에 보조금 지원

④ 북한과의 우유 공정거래 실시

5. 이 글에서 한국에서 판매되는 공정무역 제품으로는 무엇이 있는지 찾아 써 보십시오.

6. 여러분의 주변에서 공정거래무역를 실천하고 있는 사례를 찾아 소개해 보십시오.

문법 및 표현

1. N이자 N이다

: 어떤 대상의 정의나 설명을 두 가지로 나열하여 말할 때 사용한다.

- 정선우 씨는 배우이자 한 집안의 가장이다.
- 졸업 여행은 나에게 새로운 도전이자 또 다른 기회로 다가왔다.
- 고려청자는 우리나라의 소중한 문화유산이자 조상의 지혜가 담긴 물건이다.

2. V-건마는

: 앞의 내용과 반대되는 내용이나 상황 또는 결과가 나타날 때 사용한다.

- 할아버지께서는 거동이 불편하시건마는 어렵게 결혼식에 참석하셨다.
- 모든 방법을 동원해보았건마는 문제가 해결이 되지 않는다.
- 뛰어난 재능을 갖춘 사람이건마는 아무도 그를 인정해주지 않았다.
- 처음부터 조언을 새겨들었으면 아무런 문제도 없었겠건마는 이제와 뒤늦게 후회하고 있다.

3. V-으냐/느냐에 달려 있다

: 앞의 내용에 따라서 그 결과가 달라질 수 있음을 나타낸다.

- 입시 경쟁률은 지원자가 얼마나 많으냐에 달려 있다.
- 음식점의 성공은 얼마나 빨리 입소문이 나느냐에 달려 있다.
- 출장비는 업무 강도로 정해지기보다는 회사에서 출장지까지의 거리가 얼마나 머냐에 달려 있다.
- 그 일의 성과는 주어진 시간을 얼마나 잘 관리하느냐에 달려 있으므로 체계적인 계획을 세우도록 하십시오.

듣고 말하기2 512

1. 토의의 주제와 안건이 무엇입니까?

2. 들은 내용으로 알맞은 것을 고르십시오. (　　　　)

① 두 토의자의 의견에는 상이한 점이 있다.

② 진행자는 중립적인 입장을 갖고 진행하고 있다.

③ 이 토의의 목적은 자원봉사 후기를 나누기 위함이다.

④ 물질적인 원조는 수혜자를 진정으로 생각하는 일이 아니다.

3. 두 사람이 의견을 뒷받침하기 위해 사용한 방법은 무엇입니까? (　　　　)

① 개념에 대한 정의를 내리고 있다.

② 원인과 결과를 밝혀 설명하고 있다.

③ 주장과 관련된 예를 제시하고 있다.

④ 유사한 대상을 비교하여 설명하고 있다.

4. 두 사람의 의견을 종합해 볼 때 자원봉사의 궁극적인 목적은 무엇입니까?

5. 여러분이 토의 참가자라면 어떤 질문을 하고 싶습니까?

- 모색하다
- 안건
- 자칫
- 의존하다
- 자립하다
- 개발도상국
- 저해하다
- 내전
- 터전
- 확보하다
- 자연재해
- 구호품
- 전적
- 자활

문법 및 표현

1. V-ㄴ/는다손 치더라도

: 앞의 내용을 인정하더라도 그것이 뒤의 내용에 영향을 주지 못할 때 사용한다.

- 아무리 화가 난다손 치더라도 할 말과 못할 말은 구분해서 해야 된다.
- 아무리 상황이 급하다손 치더라도 침착함을 잃어버려서는 안 된다.
- 경제 상황이 악화되있디손 치더라도 지역 개발이 중단되어서는 안 된다.
- 아무리 친한 사람이라손 치더라도 모든 부탁을 들어주기는 어려운 빕이다.

-ㄴ/는다손 치더리도	-ㄴ/는다 한들	-ㄴ/는다 할지라도	- 다고 해도	- 아/어/해도

실현가능성 낮음 ↔ 실현가능성 높음

쓰고 말하기

우리의 주변에는 나눔과 봉사로 사회에 공헌한 사람들이 많이 있습니다. 만약 여러분이 상을 수여한다면 누구를 선택하겠습니까?

사회 공헌상

이름 : 이금화

이금화 할머니는 평생 동안 김밥 장사를 통해 아껴둔 돈을 자신을 위해 사용하지 않고 등록금이 없는 대학생을 위해 전액을 기부하였습니다. 한 사람의 희생으로 인해 많은 젊은이들이 꿈을 잃지 않고 살아갈 수 있는 용기를 얻었기에 이 상장을 수여합니다.

0000년 0월 00일

누구에게 사회 공헌상을 수여하고 싶습니까?	
그 사람에 대한 감동적인 일화를 소개해 봅시다.	
이 사람을 선택한 특별한 이유가 있습니까?	

통합 활동

자원봉사의 올바른 방향 모색을 위한 토의

1. 사회자와 토의 참가자를 정하십시오.

2. 다음 중에서 한 가지 안건을 정하여 자원봉사의 올바른 방향에 대해 자유롭게 토의하십시오.

1) 자원봉사의 동기는 무엇이 되어야 하는가?

자원봉사에는 꼭 다른 사람을 돕고자 하는 동기만 있는 것이 아니다. 그렇다면 아래와 같은 동기는 불필요한 것일까?

- □ 사회적으로 좋은 평판을 얻기 위해 봉사활동을 하는 사람
- □ 학교에서 주는 가산점을 받기 위해 봉사활동을 하는 학생
- □ 회사에서 하는 봉사활동에 의무적으로 참여해야 하는 직장인
- □ 스스로 만족감과 보람을 느끼기 위해서 봉사활동을 하는 사람

2) 자원봉사자에게 필요한 자세는 무엇인가?

- □ 비밀 준수
- □ 계획적인 활동
- □ 열린 마음과 겸손한 자세
- □ 성실하고 책임감 있는 자세

3) 자원봉사 전 준비해야 할 사항은 무엇이 있는가?

- □ 참여자 모집
- □ 방문 대상에 대한 정보
- □ 방문할 기관과의 의사소통
- □ 참여자를 대상으로 한 사전 교육

토의 시 사용하는 표현

1) 토의를 시작할 때

N에 대한 의견을 듣고자 합니다.

이번 토의의 안건은 -입니다.

자유롭게 발언해 주시기 바랍니다.

2) 의견을 제시할 때

제 생각에는 ~

제가 볼 때에는 ~

V-은/는 것이 어떨까요?

N-이/가 필요하다고 생각합니다.

N-에 대해 생각해 봐야겠습니다.

3) 화제를 바꿀 때

이번에는 ~에 대해 의견을 나눠볼까요?

그렇다면 ~에 대해서는 어떻게 생각하시는지요?

4) 상대방의 의견을 확인할 때

N(이)라는 말씀이시지요?

5) 토의를 마무리할 때

좋은 의견을 주셔서 감사합니다.

정리하자면 ~입니다.

질의응답 시간을 갖도록 하겠습니다.

질문이 있으면 손을 들고 말씀해 주시기 바랍니다.

토의에 참여해 주셔서 감사합니다.

문화 산책

한글지화를 활용하여 여러분의 이름을 소개해 보십시오.

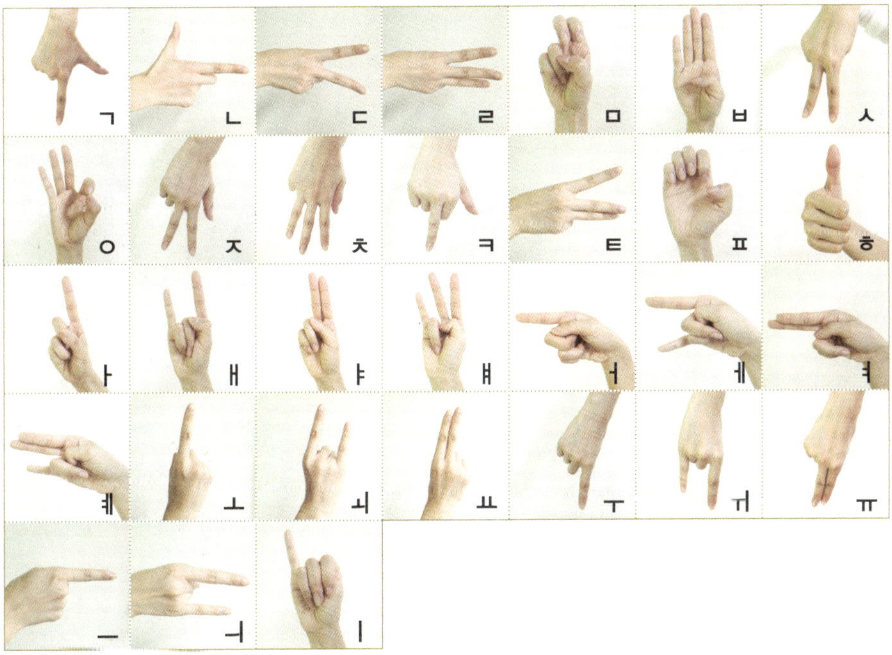

수화는 소리가 아닌 손짓과 표정으로 의사를 전달하는 언어 양식입니다. 주로 청각장애인이 사용하며 손의 모양, 손바닥의 방향, 손의 위치, 손의 움직임, 얼굴 표정 등으로 의미를 나타냅니다. 수화와 함께 사용되는 지화는 모음과 자음을 손과 손가락의 모양으로 나타내는 것으로 청각장애인 학교 교육에서 널리 활용되고 있습니다.

최근에는 수화 통역사뿐만 아니라 일반인들이 수화를 배워 자원봉사에 참여하는 경우도 늘어나고 있습니다. 대학교 내에 수화 동아리가 있는 학교가 많이 있으며 이들은 수화 공연 등을 통해 장애인과 비장애인과의 거리감을 좁히는 역할을 하고 있습니다. 수화는 전문 교육 기관을 통해서 배우는 방법도 있지만 국립국어원 홈페이지의 한국 수화 사전이나 수화 관련 무료 앱 등을 이용하여 배울 수 있습니다.

제7과 한국의 맛과 멋

학습 주제
한국의 음식과 문화

학습 목표
한국 음식 문화를 이해하고 음식과 요리법을 소개할 수 있다.

어휘 학습
음식 관련 어휘

듣고 말하기
한국음식 관련 일상대화
비빔밥과 한국문화를 주제로 한 라디오 대담

읽고 말하기
맛집 탐방 보고서

쓰고 말하기
비빔밥 요리법 소개문 쓰기, 탐방 보고문 쓰기

문법 및 표현
V-다마다(요), V-ㄹ/을세라, V-ㄴ/은/는지라,
AV-ㄹ/을 무렵, V-ㄹ/을 여지가 없다

통합 활동
나만의 비빔밥 만들기

문화 산책
사라지고 있는 종로 골목의 맛과 멋

7 한국의 맛과 멋

들어가기

1. 한국의 아름다움을 느낄 수 있는 것에는 무엇이 있는지 이야기해 보십시오.

2. 여러분 나라에 소개하고 싶은 한국 문화에는 어떤 것이 있는지 이야기해 보십시오.

듣고 말하기1 513

두 사람이 한국 음식에 대해 이야기하고 있습니다. 잘 듣고 질문에 대답하십시오.

1. 아시프 씨의 계획은 무엇인지 써 보십시오.

2. 다음 중 들은 내용과 다른 것을 고르십시오. (   )

① 왕루 씨와 아시프 씨는 한국 음식을 좋아한다.

② 아시프 씨는 처음에 한국 음식을 잘 못 먹었다.

③ 왕루 씨는 한국 음식을 먹다가 입안을 다쳤다.

④ 두 사람은 한국 사람이 다 된 것 같은 느낌이 들었다.

3. 여러분이 먹어 본 한국 음식 중에서 가장 인상에 남았던 음식에 대해서 이야기해 보십시오.

1. V-다마다(요)

: 이야기된 사실이 틀림없음을 강조하여 말함을 나타낸다.

가 : 아버님, 이번 휴가는 제주도로 잡았는데 마음에 드세요?
나 : 암, 마음에 들다마다.

2. V-ㄹ/을세라

: 앞 문장처럼 되는 것을 몹시 걱정하여 뒤 문장처럼 행동함을 나타낸다.

- 교수님의 말 한마디라도 놓칠세라 집중해서 들었다.
- 누가 자신의 밥을 빼앗아 먹을세라 주위를 살피며 허겁지겁 먹기 시작했다.
- 나는 행여나 전화번호를 잊어버릴세라 휴대폰에 저장해 두었다.

- 신간
- 훑어보다
- 입안에 가시가 돋다

어휘 학습

1. 다음은 음식과 관련된 한자성어입니다. 관계있는 상황에 연결해 보십시오.

1) 호의호식 •	• 가)	유천 씨는 키우는 고양이에게만큼은 아낌없어요. 좋은 사료에 쾌적한 환경을 제공하니 고양이들은 잘 먹고 잘 자고 건강하지요.
2) 산해진미 •	• 나)	어제는 불고기, 오늘은 갈비찜……. 이렇게 날마다 고기와 쌀밥만 먹다가는 살이 찔 것 같아요.
3) 진수성찬 •	• 다)	이 생선은 제주도에서만 잡히는 거라서 아침에 비행기로 왔고, 미역은 완도에서 올라온 거예요. 좋은 재료로 만든 귀한 음식이니 사양 말고 드세요.
4) 고량진미 •	• 라)	얼마 전 친구네 집들이를 갔는데 어찌나 차린 음식이 많던지 먹어도 먹어도 끝이 없었어요.

2. 다음은 음식과 관련된 표현입니다. 맞는 것과 연결해 보십시오.

1) 상다리가 부러지다 •	• 가)	우리 아이는 당근이 들어 있는 음식은 안 먹어요. 벌써부터 편식을 해서 걱정이에요.
2) 입이 짧다 •	• 나)	음식을 먹는 사람의 양에 비해 아주 다양하고 많이 만들었어요. 보통 잔치가 있거나 집에 다른 사람을 초대할 때 이렇게 하곤 해요.
3) 군침을 흘리다 •	• 다)	저는 평소에 라면 세 개를 먹는데요. 오늘은 제 친구와 라면 한 그릇을 나눠 먹었어요. 그래서 그런지 아직도 출출해요.
4) 간에 기별도 안 가다 •	• 라)	저는 위염에 걸려서 당분간 밀가루 음식을 먹으면 안 돼요. 그런데 어제부터 빵이 정말 먹고 싶어요. 지금 드라마에서 빵을 먹는 장면이 나오네요.

3. 다음은 음식과 관련된 속담입니다. 상황에 맞는 속담을 골라 대화를 완성하십시오.

시장이 반찬	뚝배기보다 장맛
싫은 매는 맞아도 싫은 음식은 못 먹는다	고기도 먹어 본 사람이 많이 먹는다

1) 가 : 한국 음식은 정말 좋아하는데 깻잎은 도저히 못 먹겠어요.

나 : ______________________는 말이 있어요.

먹기 싫으면 억지로 먹지 마세요.

2) 가 : 평소에 김치 볶음밥을 잘 안 먹더니 오늘은 어찌 된 일이에요?

나 : ______________________(이)라더니 허기지니

뭐든 다 맛있네요.

3) 가 : 아시프 씨는 외국인치고 매운 음식을 잘 드시는 것 같아요.

나 : 저도 처음에는 전혀 입도 못 댔죠.

그런데 ______________________는 말처럼

먹다 보니까 잘 먹게 됐어요.

4) 가 : 이 식당은 좀 허름해 보여도 맛은 일품이에요. 한번 드셔 보세요.

나 : ______________________(이)라는 말처럼

겉모습이 다는 아니에요.

읽고 말하기

맛집 탐방 보고서

조 이름: 한솥밥

1 탐방지 정보

탐 방 지	안동 하회 식당 / 경상북도 안동시 풍천면 하회마을 내
교통편	• 버스 : 인천종합터미널-안동터미널 • 기차 : 안동역 하차-46번 버스
영업시간	• 하회 식당 영업시간 : 09:00~19:00 / 휴무일 : 2, 4주 월요일, 설날, 추석
유의점	• 안동 하회 식당 휴무일을 미리 알고 탐방일을 정한다. • 멀리까지 탐방을 가므로 교통편 및 일정을 잘 준비한다. • 시간적 여유가 있을 때는 안동 하회마을을 함께 탐방해도 좋다.

2 탐방할 음식 정보

탐방할 음식에 대한 정보

헛제삿밥의 정의

제사가 끝나면 참석하였던 사람들이 둘러앉아 제사상에 올랐던 음식을 나누어 먹는데 이를 음복이라 한다. 이때 상에는 제사를 지낼 때 만든 나물과 밥을 섞어 마치 비빔밥과 같은 음식이 나온다. 그런데 조상에게 제사를 지내지 않고 음복 상 위에 올려지기에 헛제삿밥이라고 불렀다. 헛제삿밥은 유교(儒敎)의 고장 안동의 고유한 음식문화를 잘 보여주는 향토음식이다.

헛제삿밥의 특징

헛제삿밥은 그 유래가 제사 음식이기 때문에 음복 상에서의 모습 그대로이다. 각종 나물(고사리, 도라지, 무, 콩나물, 시금치, 가지, 토란 등) 한 대접과 각종 전(명태전, 두부전 등)과 적(어물과 육류를 꼬치에 끼워 익혀낸 산적)이 한 접시, 탕(주로 쇠고기에 무와 두부가 들어간 육탕)과 깨소금 간장 종지 그리고 밥 한 그릇이 나온다.

헛제삿밥은 허투루 만든 제사 음식이다. 그러므로 종교적·문화적 이질감이 없이 편하게 유교식 음식을 맛볼 수 있는 좋은 기회를 제공하는 것이다. 헛제삿밥은 비빔밥과 비슷한 모양이지만 고추장을 넣지 않고, 깨소금과 간장으로 간을 해야 한다는 점이 다르다.

• 탐방지
• 헛제삿밥
• 제사
• 음복

3 탐방 보고서

조원	왕루, 자르갈, 로빈, 아멜리
날짜	20XX. 9. 21
탐방 사진	 
탐방 내용	우리 조는 한국의 전통 음식에 관심이 있어서 관련 식당을 탐방하고자 하였다. 한국의 전통 음식을 알아보던 중 우연히 헛제삿밥을 알게 되었다. 이 음식을 찾아보면서 우리는 한국의 제사 음식에 흥미가 생겼다. 한국은 유교사상을 바탕으로 제사를 지내는 전통이 있다. 그러나 우리는 외국인인지라 그간 제사 음식을 맛볼 기회가 없었다. 그래서 제사 음식이지만 제사를 지낸 음식이 아닌 헛제삿밥을 조사하기로 했다. 인터넷을 검색해 보니 안동에 있는 안동하회식당이 헛제삿밥의 원조라고 하여 그곳을 탐방하기로 했다. 9월 21일에 조원들과 안동하회식당을 찾아 갔다. 인천에서 출발해서 도착할 무렵이 되니 점심 때가 되었다. 안동까지 가는 길은 멀었지만 한국의 전통 음식을 맛볼 수 있다는 기대감에 먼 길이 전혀 힘들게 느껴지지 않았다. 설레는 마음으로 식당에 도착해 보니 이미 많은 사람들이 기다리고 있었다. 한참을 기다린 끝에 헛제삿밥과 안동 식혜를 주문했다. 반찬으로 여러 가지 전과 나물 등이 나왔는데 나물을 넣고 비벼 먹는다는 점에서는 비빔밥과 비슷했다. 비빔밥을 비벼 먹으려고 고추장을 찾았으나 없었다. 알고 보니 헛제삿밥은 고추장이 아닌 간장을 넣고 비벼 먹는 것이라고 한다. 간장을 넣고 비빈다는 것이 생소했으나 먹어 보니 생각보다 더 맛있었다. 여러 가지 전과 생선, 산적 등을 맛보았다. 그동안 궁금했던 한국의 제사음식을 직접 맛보니 기분이 오묘했다. 음식을 다 먹은 후에 안동 식혜를 맛보았다. 우리가 보통 먹는 하얀색 식혜와는 다른 빨간색 식혜가 나왔다. 조금 망설이다가 마셨는데 매콤했다. 다른 친구들도 맵다고 했다. 우리 조는 이번 탐방을 통해 안동까지 가서 제사 음식을 직접 맛보았다. 이를 통해 한국의 전통 음식과 더불어 전통문화도 경험할 수 있는 소중한 추억이 되었다.

- 원조
- 생소하다
- 오묘하다
- 매콤하다

1. 이 글은 무엇에 대한 글입니까?

2. 이 글을 읽고 탐방지 정보로 맞지 않는 것을 모두 고르십시오. (　　　　)

① 탐방지는 안동 하회마을 안에 있는 안동하회식당이다.

② 탐방지는 버스뿐만 아니라 기차로도 갈 수 있다.

③ 식당은 매주 월요일마다 영업을 하지 않는다.

④ 문의사항은 식당이나 관리소에 전화로 문의한다.

3. 이 글을 읽고 탐방한 음식 정보로 맞는 것을 고르십시오. (　　　　)

① 헛제삿밥은 제사에 올랐던 음식을 나누어 먹는 것이다.

② 헛제삿밥은 안동의 음식 문화를 담은 향토음식이다.

③ 헛제삿밥은 고추장을 넣고 비벼 먹는다.

④ 헛제삿밥은 그 유래가 잔치 음식이다.

4. 다음 중 탐방 내용과 일치하지 않는 것을 모두 고르십시오. (　　　　)

① 예전에는 제사를 지낸 후 음식을 한 곳에 모아 비벼 먹곤 했다.

② 안동 식혜는 보통 식혜와 맛과 색이 비슷하여 구별하기가 힘들다.

③ 안동 하회 식당이 헛제삿밥의 원조 식당이라서 탐방지로 결정했다.

④ 우리 조는 식당까지 가는 길이 복잡해서 한참 헤매다 겨우 찾았다.

5. 친구들에게 추천해 주고 싶은 음식과 음식점을 조사한 후에 탐방 보고문을 써 보십시오.

추천	
맛집	
위치	
교통편	
영업시간	
전화번호	
유의점	
음식 정보	

문법 및 표현

1. V-ㄴ/은/는지라

: 이유를 말할 때 사용하며 다소 예스러운 표현이다.

- 곧 일을 마감해야 하는지라 밥도 못 먹고 일하고 있습니다.
- 아무 연락도 하지 않고 온지라 그 누구도 공항에 마중을 나오지 않았다.
- 집안 형편이 워낙 궁색한지라 축의금조차 없어서 결혼식장도 가지 못한다.
- 그는 현명한 사람인지라 이 난관을 잘 대처할 겁니다.

2. AV-ㄹ/을 무렵

: 대략 어떤 시기와 일치하는 때를 나타낼 때 사용하는 표현이다.

- 눈이 내리기 시작한 것은 아침 동이 틀 무렵이었다.
- 해가 질 무렵 농부가 소를 끌고 집으로 돌아왔다.
- 오후 3시가 가까워질 무렵 친구에게서 급한 전화가 왔다.

듣고 말하기2 514

1. 들은 내용으로 알맞지 않은 것을 고르십시오. (　　　　)

① 비빔밥은 국내 항공사에서만 기내식으로 제공하고 있다.

② 비빔밥은 한국의 섞는 음식 가운데 대표적인 음식이다.

③ 비빔밥의 인기 요인은 맛이 있으며 건강식이기 때문이다.

④ 비빔밥은 재료의 고유한 맛과 상위의 맛이 제대로 나야 한다.

2. 비빔밥의 다른 명칭의 의미를 써 보십시오.

3. 비빔밥에 담겨 있는 미학의 의미 두 가지를 써 보십시오.

4. 들은 내용으로 맞는 것을 모두 고르십시오. (　　　　)

① 비빔밥이란 제철 과일과 고추장을 비벼 먹는 음식이다.

② 비빔밥에서 한국인의 진취성과 역동성을 볼 수 있다.

③ 여러 비빔밥 중에서 제일 유명한 것은 헛제삿밥이다.

④ 비빔밥을 통해 한국의 문화를 이해하는 데 도움이 된다.

5. 여러분 나라의 대표 음식을 소개해 보십시오.

- 기내식
- 탕
- 전골
- 명칭
- 본연
- 승화
- 촉매
- 미학
- 구현하다
- 파괴하다

문법 및 표현

1. V-ㄹ/을 여지가 없다

: 어떤 일이 일어날 희망이나 가능성이 전혀 없음을 나타낸다.

- 그가 범인이 아니라는 것에 대해서는 의심할 여지가 없다.
- 수술이 잘 끝나서 이제 더 이상 나빠질 여지는 없는 것 같아요.
- 스무 명의 목숨을 앗아간 그 사람은 동정을 얻을 여지가 없어 보입니다.

쓰고 말하기

	소고기 비빔밥
사진	 
재료	불린 쌀 1컵, 애호박 반 토막, 도라지 50g, 청포묵 50g, 당근 50g, 피망 50g, 표고버섯 50g, 소고기 다진 것 50g, 달걀 2개, 다시마 2쪽. **고추장 양념 :** 고추장 1큰 술, 고춧가루 1큰 술, 설탕 1작은 술, 다진 파 1작은 술, 다진 마늘 1작은 술, 깨소금 1작은 술, 참기름 1작은 술.
만드는 방법	1. 애호박은 씨를 빼고 얇게 어슷썰기 해서 10분간 소금에 절였다가 물기를 뺀 후 팬에 살짝 볶는다. 2. 청포묵은 얇게 썰어 참기름, 깨소금에 무친다. 3. 당근, 피망은 채 썰어 소금을 약간 넣어 볶는다. 4. 마른 표고버섯은 깨끗이 씻어 물에 불려서 곱게 채 썰고 간장 1작은 술, 소금을 약간 넣어 간을 한 후 팬에 볶는다. 5. 소고기 잘게 썬 것은 핏물을 없애주고 간장 1작은 술, 참기름을 약간 넣어 팬에 볶는다. 6. 달걀은 흰자와 노른자를 분리해서 지단을 부쳐 곱게 채를 쳐서 준비한다. 7. 다시마를 마른 행주로 표면을 닦아준 후 적당한 온도에 튀겨내서 잘게 썬다. 8. 도라지는 잘게 다듬어서 약간의 소금물에 살짝 삶아 양념 고추장으로 무친다. 9. 큰 그릇에 밥을 담고 위에 색을 맞춰 고명을 얹는다. 10. 비빔밥의 맨 윗부분에 고추 양념장을 적당히 올리고 달걀 노른자를 올려 따뜻한 장국과 곁들여서 먹는다.

나만의 특별한 비빔밥 만들기 방법을 써 보고 발표해 보십시오.

	비빔밥 이름: ______________________
사진	
재료	
만드는 방법	

통합 활동

나만의 비법을 담은 비빔밥을 만들어 보십시오.

문화 산책

사라지고 있는 종로 골목의 맛과 멋

서울은 오랜 역사가 있는 도시이다. 도시 곳곳에 역사의 흔적이 남아 있다. 그 중 서울의 600년 역사의 중심인 종로가 있다. 조선은 계급사회였기 때문에 종로의 큰 길은 양반을 위한 길이었고 그 뒤에 얼기설기 얽힌 좁은 길은 서민을 위한 길이었다고 한다. 고된 하루를 마치고 늦은 저녁에 술잔을 기울이는 사람들에게 종로의 골목은 위안이었다. 반세기가 훌쩍 지난 지금도 종로에 남아 있는 골목에는 그 정취가 서려 있다.

오랜 전통을 자랑하는 종로의 빈대떡집은 원래 있던 건물이 재개발되면서 고층건물 사이로 자리를 옮기게 되었다. 빈대떡은 녹두를 갈아 돼지기름에 부치는 전을 말한다. 흔히 파전이나 김치전과 같은 모양이지만 전이라 부르지 않고 떡이라고 부른다. 이는 옛날 서민들이 이 음식을 끼니 겸 안주로 먹었기 때문이다. 옛날에는 한 끼로 인식됐던 빈대떡이 종로의 추억이 되었다. 그래서 종로 빈대떡 골목은 더운 여름이나 추운 겨울에도 기름 냄새를 잊지 못하고 찾아오는 손님들로 붐빈다.

종로의 또 다른 골목인 낙원상가 뒤편에는 오래된 국밥집이 모인 국밥 골목이 있다. 국밥은 밥을 국에 말아 낸 음식을 말하는데 이곳에 가면 국밥 음식점들이 즐비해 있다. 우리가 국밥의 역사를 알려면 이곳의 역사를 먼저 알아야 한다. 이곳은 조선시대 종로 시전이 있었을 당시에 육의전이 있던 자리이다. 시전은 지금으로 말하자면 국가가 허가한 국가공인 시장을 말하며, 육의전은 조선시대 비단, 면포, 명주, 종이, 모시, 어물 등 여섯 종류의 상품을 팔던 국가공인 상점 거리를 말한다. 현재 낙원상가 뒤편이 육의전이었으며, 이곳에서 일하는 사람들이 많이 있었다. 그들이 일하면서 간단하게 한 끼를 해결할 수 있는 음식이 필요했던 것이다.

한국의 밥상은 보통 밥과 국, 반찬으로 이루어진다. 그런데 옛날 시장에서는 이렇게 밥과 국, 반찬 등을 각각 차려 내기란 쉽지 않았다. 이때 국에 밥을 말아 놓은 국밥은 먹는 사람에게도 차리는 사람에게도 간편한 한 끼 식사가 될 수 있다. 물론 지금은 따뜻한 밥을 얼마든지 먹을 수 있어 이해하기가 쉽지 않으나 옛날에는 보온밥통, 전자레인지 등이 없었다. 그렇기 때문에 밥을 해 놓으면 금방 식는다. 그래서 따뜻하게 한 끼를 해결할 수 있는 국밥이 많이 팔리면서 낙원상가 뒤편의 국밥 골목이 형성된 것이다.

마지막으로 종로의 대표 골목이었던 피맛길이 있다. 피맛길이란 양반이 타고 다니던 말을 피해 다니는 길이란 뜻이다. 다시 말하면 피맛길은 시민의 길이며 그들의 문화가 반영되어 있던 곳이다. 그러나 지난 2008년부터 재개발이 추진되면서 지금은 이곳의 옛날의 흔적을 찾아보기 어려워졌다. 피맛골의 터줏대감이던 몇몇 식당만이 인근 고층 건물 안에서 명맥을 이어 가고 있을 뿐이다. 종로 골목은 음식이 있고, 사람이 모이고 이야기가 피어나던 곳이었다. 그런데 오랫동안 서울의 맛과 멋을 간직하던 풍경이 사라지고 있어 아쉽다. 전통의 보전과 재개발의 공존이 어느 때보다 필요한 때이다. 이번 주말에는 역사를 느낄 수 있는 종로 골목 여행을 한 번 해 보는 것이 어떨까?

제8과 언어와 문자

학습 주제
한글의 독창성과 우수성

학습 목표
한글의 창제 원리를 이해하고 한글의 독창성과 우수성을 설명할 수 있다.

어휘 학습
언어 관련 어휘

듣고 말하기
일상대화
집중 인터뷰

읽고 말하기
한글 교육 프로그램 개설에 관한 건의문

쓰고 말하기
건의문 쓰기

문법 및 표현
V-는 한이 있더라도, AV-아/어/해 주십사 하다
AV-ㄴ/는 바, AV-건대, N(으)로 말미암아

통합 활동
나만의 한국어 학습방법

문화 산책
유머로 배우는 한국어

8 언어와 문자

들어가기

1. 한국어에 대해 알고 있는 것을 이야기해 보십시오.

2. 여러분은 모국어의 영향으로 인해 한국어를 배우는 데 힘들었던 적이 있었습니까?
   모국어와 한국어의 어떤 차이점으로 힘들었는지 함께 이야기해 보십시오.

듣고 말하기1 515

다음은 한국어를 배우는 외국인들의 대화입니다. 잘 듣고 질문에 대답하십시오.

1. 왕루 씨와 자르갈 씨는 무엇에 대해 이야기하고 있습니까?

2. 두 사람의 대화에 대해서 맞는 것을 고르십시오. (   )

   ① 왕루는 한국어가 어려워서 포기하려고 한다.

   ② 자르갈은 고향에서 반말보다 존댓말을 먼저 배웠다.

   ③ 왕루와 자르갈은 한국어의 존댓말을 가장 어려워한다.

   ④ 자르갈은 친구에게 존댓말을 사용하는 실수를 한 적이 있다.

3. 여러분이 처음 한국어를 배웠을 때 한국어의 첫인상은 어땠습니까?

1. AV-는 한이 있더라도

: 어떤 일을 해내고자 하는 마음이 아주 강하여 극단적인 상황을 감수할 각오가 되었음을 나타내는 말이다.

- 제가 회사를 그만두는 한이 있더라도 이 말씀은 꼭 드려야겠습니다.
- 하늘이 두 쪽 나는 한이 있더라도 그 약속만은 지켜줄 거라 믿었는데…….
- 내일 지구가 멸망하는 한이 있더라도 나는 오늘 사과나무를 반드시 심겠다.

- 식은땀
- 망신
- 몸으로 부딪치다

어휘 학습

1. 다음은 말(言)과 관련된 단어입니다. 밑줄 친 부분과 의미가 비슷한 단어를 찾아 기호를 쓰십시오.

가) 장담하다　　나) 직언하다　　다) 곡언하다　　라) 나무라다　　마) 함구하다

1) 감독은 영화의 결말에 관하여 일체 말하지 않았다. ________

2) 그는 이번 시험에는 합격한다고 확신을 가지고 자신 있게 말하였다. ________

3) 그 사람은 자신의 잘못을 인정하지 않고 이리저리 둘러말하며 핑계를 대고 있다. ________

4) 엄마는 나에게 공부는 안 하고 나이에 맞지 않는 옷을 입는다고 꾸짖기만 하신다. ________

5) 그 사람은 옳고 그른 것에 대하여 자신이 생각하는 바를 숨김없이 말하곤 한다. ________

2. 다음은 말(言)과 관련된 관용 표현입니다. 상황에 어울리는 표현을 써 보십시오.

정곡을 찌르다　　말문이 막히다　　말꼬리를 잡다　　쓴소리를 하다

1) 가 : 우리 엄마는 이야기할 때 내 기분은 안중에도 없이 늘 잔소리야.
　나 : 너를 사랑하시는 마음에 ________________는 거지.

2) 가: 아침에 청문회에서 의장이 장관 내정자에게 마지막으로 질문한 거 봤어?
　나 : 응. 나도 그런 질문은 예상도 못했는데 ________________ 질문이더라.
　그 사람도 너무 당황한 나머지 꿀 먹은 벙어리가 됐던 걸.

3) 가 : 어제 인하대 면접은 어땠어? 넌 준비 많이 했으니까 잘 봤을 것 같은데.
　나 : 준비하면 뭐해. 긴장을 한 데다가 빨리 이야기를 하라니까 당황해서 ________
　________________ 버렸어.

4) 가 : 요즘 성민이가 내가 하는 말마다 시비를 걸어서 언젠가는 크게 싸움이 날 것 같아.
　나 : 원래 걔가 사사건건 ________________ 못된 버릇이 좀 있잖아.

3. 다음은 말(言)과 관련된 사자성어입니다. 관계있는 말과 연결해 보십시오.

1) 감언이설 •	• 가)	얼핏 들으면 농담 같지만 그 속에는 깊은 뜻이 담겨있죠.
2) 유언비어 •	• 나)	자신이 한 말을 지켜야지만 그 사람에 대한 믿음이 생기지 않을까요?
3) 언중유골 •	• 다)	아무 근거도 없는 말이 한 사람에게 상처를 줘서 죽일 수도 있다고요.
4) 언행일치 •	• 라)	우리는 눈앞의 이익 때문에 알면서도 달콤한 말에 속아 넘어가기도 해요.

4. 말(言)의 중요성과 관련된 속담입니다. 상황에 맞는 속담을 골라 대화를 완성하십시오.

- 혀 아래 도끼 들었다
- 입은 비뚤어져도 말은 바로 해라
- 같은 말이라도 '아' 다르고 '어' 다르다
- 호랑이도 제 말하면 오고, 사람도 제 말하면 오는 법이다

1) 가 : 말을 어떻게 하느냐에 따라서 그 사람에게 자극제가 될 수도 있고 마음의 상처가 될 수도 있어요.

나 : ______________________고 상대방의 입장에서 생각하는 배려가 필요해요.

2) 가 : 어쩜 나한테 저런 말을 할 수 있대! 가다가 넘어져서 코나 깨져라!

나 : 너 아무리 화가 나도 무슨 그런 악담을 하니? ________________는 말도 몰라? 말을 잘못하면 언젠가는 그 말이 나에게 되돌아오는 법이니 항상 가려서 해야 한다고.

3) 가 : 하정 씨는 얼굴도 예쁘고 공부도 잘하고 정말 뭐하나 빠지는 게 없는 팔방미인이네요.

나 : 팔방미인이라뇨? __________________________고 어제 선생님께 예의 없이 행동하는 거 못 봤어요? 얼굴만 예쁘면 다 팔방미인인가요?

가 : 하정 씨도 없는데 그렇게 이야기하는 거 아니에요. ________________________ ________________. 하정 씨가 언제 불쑥 나타날 줄 알고 그래요? 말조심 하세요.

읽고 말하기

존경하는 총장님께

안녕하십니까?

저는 멕시코시티에 살고 있는 한인 교포 연합 회장 김제니퍼라고 합니다.

총장님께 간절한 소망이 있어 이 글을 씁니다. 그것은 다름이 아니라 귀교에서 이 지역의 한인 교포와 한국 문화에 관심이 있는 현지 시민들에게 한글의 우수성을 알리는 프로그램을 개설하는 일에 총장님께서 힘을 보태 주십사 해서입니다.

오래전부터 유럽과 북미의 주요 대학에서 한글과 한국문화를 알리는 강의가 개설된 바 있습니다. 우리 지역 대학교에서도 단어와 문법 실력을 높이고 싶어 하는 한인 교포들과 한글과 한국 문화에 관심을 보이고 있는 현지 시민들을 위해서 한글을 배울 수 있는 교육 프로그램을 개설해 주시기 바랍니다. 특히, 한글을 배우고 한국 역사 및 문화체험 등 다양한 프로그램이 개설된다면 한국어 실력이 부족하거나 미숙한 교포들에게 한국인으로서의 자부심과 정체성 확립에 도움을 줄 수 있는 계기가 될 것입니다.

무엇보다 한글은 세계의 언어학자들에게 칭송을 받는 언어입니다. 한글은 지구상 100여 개의 문자 가운데 제작자, 제작 시기, 제작 원리와 이념, 문자 명칭, 문자 수가 문서로 정리되어 있는 유일한 문자로 인류사의 기적과 같은 문자입니다. 세계인이 놀라는 일로서 1997년 10월 1일, 유네스코(UNESCO)에서는 세계 기록 유산으로 공인하였을 뿐 아니라 '세종대왕 문맹퇴치상'을 제정하여 해마다 세계 문맹퇴치에 큰 공을 세운 이들에게 주고 있을 정도입니다.

또 유명한 언어학자들은 입을 모아 한글이 세계 어떤 나라의 문자에서도 볼 수 없는 가장 과학적인 표기 체계를 지녔다고 평가하고 있습니다. 영국의 언어학자인 제프리 샘슨 교수는 한글은 인류의 위대한 지적 성취 가운데 하나이며 기본 글자에 획을 더하여 동일 계열의 글자를 만드는 방법(ㄱ, ㅋ, ㄲ)이 가장 체계적이고 독창적이라고 찬탄하였습니다. 그뿐만 아니라 한글은 유네스코에 의해 전 세계에서 문자가 없는 언어 2,900여 종을 표기하기에 가장 적합한 문자로 평가를 받았습니다.

총장님, 바야흐로 21세기는 지식정보화를 지향하는 시대입니다. 한글은 다른 어떤 글자보다도 과학적이며, 컴퓨터의 원리와 잘 부합되는 글자입니다. 또한, 이동 전화의 한정된 자판을 가장 능률적으로 사용할 수 있어 디지털 시대의 대표로 떠오르는 문자입니다.

- 개설하다
- 자부심
- 정체성
- 칭송하다
- 찬탄하다
- 표기하다
- 바야흐로

존경하는 총장님,

이처럼 한글은 세계적으로 과학성과 우수성을 인정받은 문자입니다. 간절히 바라건대 타국에서 모국어를 잊지 않으려고 애쓰는 한인 교포들이 모국의 문화와 글자에 대해 자긍심을 가질 수 있는 기회를 주시기 바랍니다. 아울러 현지 시민들에게도 한글과 한국 문화를 알려 줄 수 있는 의미 있는 일이 되도록 해 주십시오.

총장님의 건승을 기원합니다.

20○○년 ○○월 ○○일

한인 교포 연합회 회장 김제니퍼 올림

1. 이 글은 무엇에 대한 글입니까?

2. 이 글의 종류는 무엇입니까? (　　　　)

① 설명문　　② 안내문　　③ 건의문　　④ 비평문

3. 이 글의 내용을 구성에 맞게 정리하여 보십시오.

수신자	
건의자	
건의의 내용	
건의 내용에 대한 근거	

- 자긍심
- 계열
- 건승

4. 이 글에 대한 내용과 일치하지 않는 것을 고르십시오. (　　　　　)

① 한글은 세계에서 귀중한 문화유산으로 가치를 인정받았다.

② 한글은 창제자의 이념과 과학적 원리를 가지고 만들었다.

③ 유네스코는 문자가 없는 나라에 한글을 표기 수단으로 보급하고 있다.

④ 한글은 자판을 통해 입력하기에 편리하고 효율적인 문자로서 지식 정보 시대에 적합하다.

5. 다음은 훈민정음 서문과 외국 언어학자들이 한글을 평가한 글입니다. 아래의 글을 읽어보고 이 내용을 바탕으로 한글의 우수성에 대해 함께 이야기해 보십시오.

훈민정음 서문

나랏말이 중국과 달라 한자와 서로 통하지 않으므로 어리석은 백성이 말하고자 하는 바가 있어도 끝내 그 뜻을 펴지 못하는 사람이 많다. 내가 이를 불쌍히 여겨 새로 스물여덟 글자를 만드니 사람마다 쉽게 익혀 날로 씀에 편하게 하고자 할 따름이다.

한글의 우수성을 극찬한 언어학자들의 글

한글보다 뛰어난 문자는 세계에 없다.
세계의 알파벳이다.
미국의 언어학자 로버트 램지

한글이야말로 세계에서 가장 훌륭한 문자이다.
네델란드 언어학자. F.vos

한글은 그 무엇과도 비교할 수 없는 문자의 사치이며,
세계에서 가장 진보된 문자이다.
미국의 언어학자 레드야드 교수

세종이 만든 28자는 세계에서 가장 훌륭한 알파벳이자
세계에서 가장 과학적인 표기법 체계다.
캘리포니아 의과대학 레어드 아이아몬드

문법 및 표현

1. AV-아/어/해 주십사 하다

: 정중한 부탁이나 청원을 나타내는 말로 주로 인용할 때 사용한다.

- 앞으로 많이 좀 도와주십사 하고 인사드리려고요.
- 그것은 마치 제 잘못을 용서해 주십사 하는 어린애 같은 웃음이었다.
- 바쁘시겠지만 제 결혼식에 교수님께서 꼭 참석해 주십사 하고 연락드립니다.

2. AV-ㄴ/는 바

: 앞에서 말한 내용이나 일, 방법 등을 나타내며, 'AV-ㄴ/는 바에 따르면', 'AV-ㄴ/는 바와 같이'의 형태로 주로 사용한다.

- 여행을 통해서 보고 듣고 느낀 바를 그대로 글에 담아내고자 했다.
- 연이 나뭇가지에 걸려버리자 어찌할 바를 모르고 발만 동동 굴렀다.
- 시민들이 제보한 바에 따라 경찰이 진상 조사에 나섰다.
- 심각한 환경문제에 정부가 적극 나서줄 것을 주장하는 바입니다.
- 이미 공지된 바와 같이 15일부터 교내의 모든 건물에서 흡연이 금지됩니다.

3. AV-건대

: 자기 생각이나 의견을 말할 때를 사용하거나 말하는 사람이 뒤 문장의 일을 바라거나 부탁하는 경우에 사용한다.

- 바라건대 편지 보내기 전에 마지막으로 한 번 더 확인해 줘.
- 단언하건대 누가 뭐래도 그는 최고의 영화배우임이 분명하다.
- 예고편만 보고 미루어 짐작하건대, 그 영화는 관객들의 열띤 호응을 이끌어 낼 것이 분명하다.

듣고 말하기2 516

1. 두 사람은 무엇에 대해 이야기하고 있습니까?

2. 이 글의 내용으로 알맞은 것을 고르십시오. (   )

① 한글은 사람의 발음 기관을 본떠 만들었다.

② 한글의 자음의 기본자는 'ㄱ, ㄴ, ㅁ, ㅅ, ㅇ' 이다.

③ 한글의 자음은 글자 모양만으로는 소리 나는 위치를 추측할 수 없다.

④ 한글은 모든 사람들이 쉽게 사용하기 위해 만든 글이므로 특별한 체계가 있는 것은 아니다.

3. 두 사람의 대화를 듣고 빈칸을 채워 보십시오.

기본자	가획자
ㄱ	
ㄴ	
ㅁ	
ㅅ	
ㅇ	

기본자	본뜬 모양
•	
ㅡ	
ㅣ	

- 본뜨다
- 획
- 밑거름
- 배치하다
- 원리
- 염두
- 선견지명

4. 한글의 특성을 여러분 나라의 언어와 비교하여 이야기해 보십시오.

5. 휴대전화의 천지인 자판을 이용하여 선생님에게 메시지를 보내 보십시오.
단, 띄어쓰기를 정확히 하고 반드시 80자 내외로 문장을 완성하여 보내십시오.

문법 및 표현

1. N(으)로 말미암아

: 앞의 내용이 어떠한 대상 때문에 생긴 원인을 나타내고 뒤의 내용은 결과를 나타낸다. 주로 공식적인 상황인 뉴스나 기사문, 논문 등에서 사용한다.

- 올바른 생활 습관으로 말미암아 건강한 삶을 되찾을 수 있었다.
- 지나친 흡연으로 말미암아 폐암 발병률이 증가하고 있다.
- 인터넷 통신 매체의 발달로 말미암아 문자언어의 약진이 두드러지고 있다.

쓰고 말하기

여러분은 한국 생활을 하면서 어떤 어려운 상황에 처한 적이 있었습니까? 자신의 경험을 바탕으로 건의문의 개요를 작성해 보십시오.

친구 및 이성문제 **생활 질서**
학교생활 및 시설 문제 **주거생활 문제**

수신자	
건의자	
건의의 내용	
건의문을 쓰게 된 이유	
건의 내용에 대한 근거	

통합 활동

여러분이 한국어를 배울 때 느낀 어려움이나 자주 했던 실수가 무엇이었는지 생각해 보십시오. 모국어와의 어떤 차이점 때문에 어려움을 느꼈습니까? 그 어려움을 극복하기 위한 나만의 한국어 학습 방법은 무엇이었는지 발표해 보십시오.

내가 느낀 어려움	
자주 했던 실수	
어려움을 느낀 배경 ⬇ 한국어와 모국어의 차이점	
어려움을 극복하기 위한 학습 방법	

문화 산책

유머로 배우는 한국어

1. 아내가 설거지를 하며 말했다. : "아기 좀 봐요!"
   그래서 난 아기를 봤다. 한 시간 동안 쳐다보고 있다가
   아내에게 행주로 눈을 얻어맞았다.

2. 아내가 청소를 하며 말했다. : "세탁기 좀 돌려요!"
   그래서 난 낑낑대며 세탁기를 빙빙 돌렸다. 힘들게 돌리고 있다가
   아내가 휘두른 파리채에 등을 맞았다.

3. 아내가 TV를 보며 말했다. : "커튼 좀 쳐요!"
   그래서 난 커튼을 툭 치고 왔다. 아내가 던진 리모컨을 피하다가
   걸레를 밟고 미끄러져 바닥에 뒤통수를 부딪쳤다.

4. 아내가 아기를 재우며 말했다: "아기 분유 좀 타요!"
   그래서 난 분유통을 타고서 이랴이랴 했다. 아내가 던진 우유병을
   멋지게 받아서 도로 주다가 허벅지를 꼬집혀 퍼런 멍이 늘었다.

5. 아직 잠이 덜 깬 아내가 출근하는 내게 말했다: "문 닫고 나가요!"
   그래서 문을 닫아서 나갈 수가 없었다. 한 시간 동안 고민하며 서 있는데
   화장실 가던 아내가 보더니 엉덩이를 걷어차고 내쫓았다.

부록

- 듣기지문
- 모범답안
- 언어색인

듣기지문

1 이야기와 삶

듣고 말하기1 501

친정아버지가 병원에 입원하셔서 두 아이들과 함께 병문안을 다녀오던 길이었습니다. 4호선 열차를 막 갈아탔는데 한 아주머니가 다급하게 내리시고 승객들이 웅성거리는 소리가 들렸습니다. 소리가 들리는 쪽을 보니 전동차 바닥에 김치 국물이 벌겋게 흘러 있었습니다. 주변 사람들은 불쾌해하며 인상을 찌푸리거나 코를 막았습니다.

저는 이 상황을 지켜보다 못해 아이들에게 "저 김치 국물을 닦을 수 있겠니?"하고 휴지를 내밀었습니다. 서있는 승객이 많아 힘들었을 텐데 고등학생인 딸이 한 순간의 망설임 없이 "저 주세요."하고 휴지로 바닥을 닦았습니다. 그 모습을 본 중학생 아들도 거들었습니다. 승객들의 시선이 두 아이에게 쏠리고 바로 앞에 앉아 계시던 부부도 같이 바닥을 닦기 시작했습니다.

마냥 철부지인 줄 알았는데 다른 사람도 배려할 줄 아는 두 아이를 보니 어깨에 힘이 저절로 들어갔습니다. 불과 2분도 안 되는 시간이었지만 그 뿌듯함은 20년이 지나도 잊을 수 없을 것 같습니다.

듣고 말하기2 502

아주 먼 옛날에 토끼와 거북이가 살고 있었습니다. 그 토끼는 거북이를 사랑했지만 자신의 마음을 꽁꽁 숨긴 탓에 아무도 그 사실을 알지 못했습니다. 거북이도 그러한 토끼의 속마음을 알 턱이 없었지요. 그런데 사실은 거북이도 토끼를 사랑하고 있었습니다. 다만 용기를 내어 고백하지 못하고 늘 애만 태우고 있었습니다. 모든 면에서 부족함이 없어 보이는 토끼 앞에 나서면 자신이 한없이 작아지는 것 같이 느껴졌기 때문입니다.

그렇게 거북이를 사랑한 토끼에게는 안타까웠던 것이 한 가지 있었습니다. 그것은 거북이가 자신의 느린 걸음으로 인해 의기소침해 있다는 점이었습니다. 그런 모습을 볼 때마다 토끼는 마음이 너무나도 아팠고 거북이에게 자신감을 심어주고 싶었습니다. 그래서 어느 날 거북이에게 한 가지 제안을 하게 되었습니다.

"거북아! 나랑 달리기 경주를 해보지 않을래?"

이 말을 들은 거북이는 투지가 불끈 생겼습니다. 이번만은 꼭 멋진 모습을 토끼에게 보여줘서 그 동안 말하지 못한 마음 속 이야기를 털어놓아야겠다고 생각했습니다.

"그래! 한번 붙어보자!"

경기일이 다가올수록 거북이의 마음은 한없이 초조했습니다. 하지만 토끼와 함께 드넓은 초원을 시원하게 가르며 달릴 생각을 할 때면 긴장감보다는 기대감이 차올랐습니다.

드디어 경주가 시작되었습니다. 순식간에 토끼는 저만치 앞서갔습니다. 그러면서도 경주 내내 뒤따라오는 거북이에게 마음이 쓰였습니다.

"거북이가 포기하면 어떡하지? 중간쯤 가서 기다려줘야겠다!"

토끼는 눈을 말똥말똥 뜨고 기다리면 거북이가 자존심이 상할 것 같아 길에 누워서 잠든 척을 했습니다. 거북이가 이곳으로 가까이 오면 자신을 깨울 것이라고 생각했습니다. 그리고는 나란히 언덕으로 올라가게 될 것이라는 아름다운 상상을 했습니다. 얼마쯤 흘렀을까요. 거북이가 드디어 토끼가 누워 있는 바위 옆을 지나갔습니다. 그러나 토끼의 예상과는 달리 거북이가 그 옆을 지나면서도 토끼를 깨우지 않았습니다. 자는 척하던 토끼의 눈에서는 눈물이 맺혔습니다. 결국 거북이가 경주에서 이기게 되었죠.

이 경주를 마친 후에 토끼는 눈물을 훔쳤지만 이것을 본 사람은 아무도 없었습니다. 한편 경주에서 이긴 거북이는 토끼가 자신을 좋아하게 되리라고 기대했지만 자신을 피해 다니는 토끼의 모습에 어찌된 영문인지 알 수 없었습니다.

이날 이후 거북이는 모든 사람들에게 근면 성실의 상징이 되었습니다. 반면에 토끼는 자만한 동물이라는 낙인이 찍혔습니다. 사람들의 질책을 받는 토끼의 모습을 보며 거북이의 마음은 한없이 안타까웠습니다. 그러나 토끼는 그 어떤 비난일지라도 묵묵히 감수할 수 있었습니다. 그렇게라도 거북이가 기뻐하는 모습을 보고 싶었으니까요.

2 내가 찾는 직업

듣고 말하기1 503

로빈 : (똑똑) 교수님, 안녕하세요. 로빈입니다. 들어가도 괜찮을까요?

교수 : 들어오게. 로빈 군. 잘 지냈는가? 얼굴을 보니 한결 밝은데.

로빈 : 예. 교수님 그동안 잘 지내셨습니까? 오랜만에 찾아봬서 죄송합니다.

교수 : 괜찮네, 바쁘게 지내다 보면 그럴 수도 있지. 그래, 추천서가 필요하다고?

로빈 : 네, 메일로 말씀드린 것처럼 제가 이번에 인하그룹에 지원하고자 합니다.

교수 : 로빈 군이 원한다면야 나도 적극적으로 지지하는 바이네. 자, 여기 추천서일세. 실은 로빈 군이 이렇게 갑자기 이직한다고 해서 좀 놀라긴 했네. 자네 꿈이 인하그룹이었다니... 아, 흐엉 양도 이번 인하그룹 채용에 지원한다고 들었네.

로빈 : 아? 흐엉도 인하그룹에 지원했군요. 지원 분야가 어디입니까?

교수 : 자네와 같은 해외 홍보지, 아마? 부담 갖지 말고 선의의 경쟁을 펼쳐 보게나.

로빈 : 아, 같은 부서였습니까? 둘 다 잘 되면 같이 다시 찾아뵙겠습니다.

교수 : 그럼세. 자네는 항상 열정이 대단하니 잘 해낼 걸세. 내가 이제 외부 회의가 있어서 그만 나가 봐야 하는데 언제든지 내 도움이 필요하다면 연락하게나.

로빈 : 예, 교수님. 정말 감사드립니다.

교수 : 그럼 또 보세.

로빈 : 네. 교수님. 또 찾아뵙겠습니다.

듣고 말하기2 504

안내원 : 33-34번 응시자는 5호실 앞에서 대기하시기 바랍니다.

(잠시 후)

흐엉 : 앗, 로빈?

로빈 : 어, 흐엉, 여기서 이렇게 만나네. 교수님께 너도 인하그룹에 지원했다는 얘기를 들었어.

흐엉 : 너도 지원했구나. 대학원 입학 때도 같이 면접을 봤는데 말이야. 참 희한하다.

로빈 : 그러게. 우리는 인연이 깊네. 잘 해 보자.

(면접장)

면접관1 : 두 분 이쪽으로 와서 앉으세요. 우선, 간단하게 자기소개를 해 보세요.

로빈 : 저는 미국에서 온 로빈 윌리엄스라고 합니다. 미국 동부의 시골 마을에서 자랐기에 대자연 속에서 창조적인 생각을 키울 수 있었습니다. 어릴 때부터 광고 홍보 분야에서 일하고 싶다는 꿈을 가지고 있었습니다. 대학 때 광고 홍보학을 전공했고 대학원에서 국제 홍보학을 전공했습니다.

면접관1 : 네, 그럼 흐엉 씨도 자기소개를 해주십시오.

흐엉 : 저는 딘 흐엉이며 베트남에서 왔습니다. 외교관이신 아버지를 따라서 어릴 때부터 여러 나라에서 생활했습니다. 미국에서 초등학교를, 독일에서 중학교를, 스페인에서 고등학교를 다녔습니다. 그리고 중국에서 대학교를 졸업했고 한국에서 대학원을 졸업했습니다. 전공은 모두 홍보학입니다. 그리고 영어, 독일어, 스페인어, 중국어, 한국어에 능통합니다.

면접관2 : 네, 그럼 각자 자신의 장·단점에 대해 간략하게 대답해 주십시오.

로빈 : 저는 모든 일에 최선을 다 하려고 노력하기에 저에게 주어진 일은 대부분 잘 해냈습니다. 그리고 대인관계가 좋아서 모든 사람들과 잘 어울립니다. 그러나 제가 하는 일에 너무 몰두한 나머지 가끔 다른 일을 놓치는 경우가 있습니다. 그래서 이 점을 고치기 위해서 할 일을 메모하는 습관을 들였습니다.

흐엉 : 저는 여러 나라에서 생활하며 다양한 경험을 해왔기에 낯선 환경에 빠르게 잘 적응하는 편입니다. 그래서 처음 만난 사람들과도 스스럼없이 잘 지냅니다. 사람과의 인연을 중요하게 여겨서 지금도 세계 곳곳에서 사귄 친구들과 연락하며 친밀한 관계를 유지하려고 노력하고 있습니다. 그러나 정에 치우쳐서 타인을 배려하다 못해 손해를 본 적도 있었습니다. 그때는 학생이었으니 망정이지 하마터면 큰 문제가 생길 뻔했습니다. 그래서 그런 일이 생기고 난 후부터는 되도록 공과 사를 구분하려고 노력하고 있습니다.

면접관1 : 두 분 다 홍보 관련 전공을 했는데, 같은 분야에서 일한 경험이 있습니까?

로빈 : 대학 재학 중에 광고 동아리 활동을 하며 학교 홍보 활동에 참여한 적이 있습니다. 석사 3학기 차에는 한국 관광 홍보 프로젝트에 참여한 경험이 있습니다.

흐엉 : 중국에서 대학을 다닐 때 중국 광고 기업인 '차이나 마케팅'에서 인턴으로 6개월 간 일한 경험이 있습니다. 또한, 대학원 과정 중에는 '한국기획' 청년 광고 대회에 참여해 금상을 받았으며 그 부상으로 '한국기획'에서 인턴으로 일할 기회를 얻기도 했습니다. 인턴 일을 하며 여러 선배님들에게 많은 것들을 배웠습니다.

면접관2 : 흐엉 씨는 한국에서 유명한 광고 회사 중 하나인 '한국기획'에서 인턴으로 근무했다면 '한국기획'에 입사할 수도 있었을 텐데 우리 인하그룹에 지원한 동기는 무엇인가요?

흐엉 : '한국기획'은 한국에서 매우 유명한 광고 회사이지만 대부분 상업 광고를 위주로 하고 있고 국내를 대상으로 홍보 업무를 하고 있습니다. 저는 어릴 때부터 세계를 무대로 일하고 싶었습니다. 인하그룹은 공익을 위해 많은 국제 홍보업무를 하고 있습니다. 그래서 저는 제 꿈과 이상을 실현할 수 있는 세계적인 기업 인하그룹에서 일하고자 인하그룹에 지원했습니다.

면접관1 : 네, 그럼 로빈 씨, 우리 회사에 지원한 이유가 무엇인지 말씀해 주시겠습니까?

로빈 : 인하그룹의 최신 기술은 전 세계적으로 유명합니다. 그러나 기술에 비해 인하그룹의 긍정적인 이미지는 많이 알려져 있지 않습니다. 저는 인하전자의 최신 기술에 긍정적인 이미지를 더해서 전 세계에 널리 알리는 일을 하고 싶습니다.

면접관2 : 마지막으로 광고인이 꿈인 두 사람 모두에게 공통 질문 한 개를 드리겠습니다. 자신이 얼마짜리 사람이라고 생각하십니까?

흐엉 : 저는 6개 국어를 할 수 있고, 대학원 석사 학위가 있습니다. 그리고 여러 인턴 경험이 있습니다. 저는 제가 5000만 원정도의 연봉을 받을 만한 사람이라고 생각합니다.

로빈 : 오늘 면접을 보러 오면서 아침으로 먹을 2,000원 짜리 김밥을 산 분식집 주인에게 저는 2,000원 짜리 사람이었습니다. 그리고 며칠 전 구입한 팔만 원 짜리 양복의 의류매장 주인에게 저는 팔만 원짜리 사람이었습니다. 사람의 가치란 각 사람마다 그 사람을 어떻게 생각하는가에 달려 있다고 생각합니다. 저는 꼭 이 회사에 입사하여 지금 이 자리에 계신 면접관님에게 최소 1억 원 이상의 가치라고 평가받을 수 있는 사람이 되고 싶습니다.

3 생활 속 과학

듣고 말하기1 505

왕루 : 비 온다. 큰일이네. 미용실 예약했는데.. 가는 날이 장날이라더니..

로빈 : 어제 새가 낮게 날더니 역시 비가 오네요. 그런데 왕루 씨, 큰일이라뇨?

왕루 : 저는 비가 올 거라고 생각도 못 했어요. 오늘 미용실 예약도 겨우 했거든요.

로빈 : 아휴, 무슨 말인지 도무지 이해가 안 돼요. 제가 이해할 수 있게 좀 쉽게 설명해 주면 안 돼요?

왕루 : 로빈 씨, 비가 오는 날에는 사람들이 머리를 잘 안 하려고 해요.

로빈 : 그런 말은 처음 들어 보는데요? 왜 그런 건데요?

왕루 : 왜냐하면 비 오는 날은 습도가 높기 때문이에요. 그런 날은 공기 중에 수분이 머리카락 속으로 흡수가 잘 된대요.

로빈 : 그러니까 습도가 높아서 그렇다는 거예요?

왕루 : 네, 맞아요. 로빈 씨, 장마철에 빨래 해 봤지요? 그때 빨래하면 건조가 더디고 눅눅해지잖아요.

로빈 : 왕루 씨는 과학 선생님 같네요. 그러니까 비올 때 머리카락이 장마철 빨래 같다는 거죠?

왕루 : 네, 그래서 비 올 때 파마를 하면 망치기 십상이에요. 특히 생머리보다는 곱슬머리인 사람들이 더 그래요. 또 염색하는 사람들은 머리에 얼룩이 지기도 하고요.
그래서 비 오는 날에는 미용실에 사람이 별로 없지요. 나중에 한번 잘 관찰해 보세요.

로빈 : 그렇군요. 생활 속에 숨어 있는 과학 원리가 이렇게 요긴하게 쓰일 줄은 정말 몰랐네요.

듣고 말하기2 506

사회자 : 안녕하십니까? 토론의 사회를 맡은 왕루라고 합니다. 오늘 토론의 주제는 인간복제입니다. 먼저, 토론의 규칙을 말씀드리겠습니다. 토론 시간은 총 30분이며, 각자 발언 시간은 2분 이내입니다. 토론 중에는 언성을 높이지 말아 주시고 감정적인 비판은 삼가 주시기 바랍니다. 찬성 토론자는 자르갈, 아멜리, 아시프 씨고 반대토론자는 안드레이, 흐엉, 로빈 씨입니다. 그럼 지금부터 토론을 시작하겠습니다. 먼저 찬성토론자 자르갈 씨는 발언해 주십시오.

자르갈 : 저는 인간 복제에 찬성합니다. 인간에게는 인간 복제의 권리가 있다고 생각합니다. 인간 복제는 개인적 선택의 문제이고 그것이 타인에게 심각한 피해를 입히지 않는다면 자유롭게 보장되어야 한다고 봅니다. 그렇기에 법적으로 규제할 이유가 없다고 생각합니다.

사회자 : 네. 자르갈 씨는 인간 복제는 개인의 자유이기 때문에 찬성한다고 했습니다. 다음으로 반대토론자 안드레이 씨 발언해 주십시오.

안드레이 : 인간 복제는 인간의 존엄성을 무시하는 행동이기에 반대합니다. 어느 누구도 다른 사람의 생명을 좌지우지할 수 없습니다.

아멜리 : 안드레이 씨의 말씀 잘 들었습니다. 물론 인간의 존엄성을 무시해서는 안 됩니다만 인간이 인간답게 살 수 없을 경우에는 어떻게 해야 하는 것일까요? 예를 들어, 심한 병을 앓는 부부가 있습니다. 이들이 아이를 낳는다면 분명 그 병도 유전될 겁니다. 하지만 인간 복제를 통해 병이 유전되는 것을 막을 수 있겠지요? 병이 유전된 사람들을 위해서라도 치료 차원의 인간 복제는 필요하다고 생각합니다.

흐엉 : 아멜리 씨, 인간 복제를 치료 차원으로 본다고요? 똑같은 사람을 두, 세 명 만드는 게 과연 치료라고 보시는 겁니까? 만약 인간 복제가 허용된다면 인간이 복제를 통해 쉽게 대치 가능해짐으로써 존엄성이 훼손될 것입니다. 사람이 인간이 아니라 물건이 되어 버리는 겁니다!!

사회자 : 흐엉 씨, 지나친 감정적인 표현은 삼가 주시기 바라며 다음으로 넘어가겠습니다.

아시프 : 저는 사회적 이익을 위해서 인간 복제를 찬성합니다. 인간 복제가 가능해지면 위대한 재능, 천재성, 인격 등 귀감이 될 만한 품성을 지닌 인간을 생산해 낼 수 있습니다. 예를 들어, 모차르트, 아인슈타인, 간디, 공자, 등의 비범한 인물들이 여러 명이 된다는 말입니다. 이런 사람들이 많아지면 사회적 이익이 될 것이기에 인간 복제에 찬성합니다.

로빈 : 사회적 이익이라고 말씀하셨는데요, 사회적 이익, 즉 상업적 이익을 뜻하는 것이겠지요? 인간 복제는 사회적 이익이라는 명목 하에 결국 상업적 이익의 목적으로 악용될 것입니다. 유전인자를 가진 배아가 그것이 가진 재능, 능력, 기타 성품 등에 따라 가격이 매겨져서 거래되는 사태가 오면 인간의 가치와 존엄성 역시 근본적으로 침해될 수밖에 없을 것입니다. 인간 복제는 인간의 삶에 도움이 되기는 고사하고 복제된 배아의 장기매매 등 역효과를 일으킬 것입니다.

사회자 : 잘 들었습니다. 지금까지 모든 토론자들의 의견을 들어 보았습니다. 이번에는 서로의 주장에 대하여 좀 더 면밀히 살펴보도록 하겠습니다.

자르갈 : 로빈 씨께 질문하겠습니다. 인간 복제가 장기매매에 악용될 수 있다고 하셨는데요. 정부에서 철저히 규제하면 그런 부분을 막을 수 있지 않을까요?

사회자 : 로빈 씨는 답변해 주시기 바랍니다.

로빈 : 현재도 장기매매는 법적으로 금지되어 있지만 암암리에 이루어지는 경우가 허다합니다. 인간복제가 허용될 경우 지금보다 장기 이식이 많아질 텐데 그것을 정부에서 통제하는 것은 불가능합니다.

사회자 : 반대 토론자 중에서 찬성 토론자에게 질문하실 분은 해 주시기 바랍니다.

흐엉 : 자르갈 씨는 인간 복제가 개인의 자유라고 하셨는데, 다른 인간의 생명을 누군가의 자유로 선택할 수 있을까요? 그렇다면 인간의 존엄성이 훼손되지 않을까요?

자르갈 : 저는 인간 복제가 자유롭게 허용된다고 해서 반드시 인간의 존엄성이 훼손된다고 생각하지 않습니다. 인간 복제를 허용하되 도덕적 범위 안에서 자유롭게 선택한다면 큰 문제가 없을 것입니다.

아시프 : 제가 자르갈 씨의 의견에 대해 좀 더 보충하겠습니다. 흐엉 씨께서는 인간 복제가 전면 허용될 경우 인간의 존엄성이 훼손된다고 하였습니다. 그런데 현재도 산모가 태아의 기형아, 유전자 검사를 통해 문제가 있을 경우 아이의 출산 여부를 결정합니다. 유전적 결함이 있는 사람이 그것을 알면서 병을 유전시킨다면 그것이 더욱 문제가 아닐까요? 인간 복제에 대해서 법적으로 정확한 규정을 만들어 놓고 그 안에서 자유롭게 선택한다면 그 남용과 인권 문제 등을 줄일 수 있다고 생각합니다.

사회자 : 이번에는 청중 여러분께 질문을 받아 보겠습니다. 토론자들에게 질문이 있으신 분은 질문해 주십시오.

듣고 말하기1 507

안드레이 : 흐엉, 오늘 수업 휴강이지? 뭐 할 거니?

흐엉 : 음, 글쎄…… 오늘은 공강이 4시간이나 되니까 뭘 해야 할지 고민되네.

안드레이 : 잘 됐네. 우리 배구장 가자. 우리 학교에서 배구 대회가 열린대.

흐엉 : 배구? 내가 꼭 가야 해? 너도 잘 알다시피 운동은 내 관심사가 아니잖아.

안드레이 : 너 우리 학교 배구부에 대해서 정말 몰라? 배구 실력도 실력이거니와 선수들이 연예인 빰치게 잘생겼어. 넌 인터넷 뉴스도 안 보냐?

흐엉 : 뭐? 우리 학교 배구부 선수들이 연예인 같다고? 근데 그게 나랑 무슨 상관이니?

안드레이 : 너 잘생긴 남자에게 관심이 많잖아. 배구부의 인기가 어마어마하다는데……

흐엉 : 안드레이! 농담 하지 마. 근데 난 우리 학교에 배구부가 있다는 것도 전혀 몰랐네. 하지만 난 배구 게임 규칙도 전혀 모르고 과연 내가 재미있게 즐길 수나 있을까?

안드레이 : 내가 있잖아. 배구 규칙쯤이야……. 선착순으로 입장권을 배부한다고 하니 서두르자. 현장에서 박진감 넘치는 경기를 보게 되면 너도 분명 팬이 되어 버릴 거야.

듣고 말하기2 508

기자 : 배구를 어떻게 시작하게 되었나요?

김봉주: 초등학생 때 배구부 감독님의 학생 모집이 계기가 되었습니다. 그때 제가 반에서 제일 컸거든요. 그래서 부모님께 여쭤봤는데 제가 하고 싶은 것을 하라고 말씀하셔서 순조롭게 배구를 시작할 수 있었습니다.

기자 : 혹시 공부보다 배구가 조금 더 좋았나요?

김봉주: 공부를 하다가 공부에 흥미가 떨어질 때쯤 배구를 시작한 거죠.

기자 : 배구를 한 마디로 정의하자면 어떻게 말할 수 있을까요?

김봉주 : 한마디로 정의를 하기에는…… 좀 어려울 것 같아요. 음, 배구는 머리가 아닌 심장으로 하는 거라고 생각해요. 그리고 배구는 시원시원한 게 매력이죠. 축구는 시합 때 한 골이 엄청 귀하잖아요. 반면 배구는 축구에 비해 점수 획득이 더 쉽다는 점. 이런 점이 배구의 매력으로 다가갈 수 있는 것 같아요.

기자 : 김봉주 선수 이야기를 듣고 있자면 정말 배구를 사랑하시는 듯싶네요. 이제 대학생이 되었죠? 운동선수의 대학생활은 어떤가요?

김봉주 : 거의 운동에 전념해야 하기 때문에 또래 친구들처럼 대학생활을 마냥 즐기기만 할 수는 없었습니다.

기자 : 예, 그렇군요. 그럼 선수로서 본인의 장·단점을 말해 본다면요?

김봉주: 다른 선수들에 비해 자신감이 있는 편이랄까? 못 하는 게 있어도 나 자신한테 더 해 보라고 다짐하고 그래요. 음…… 그리고 선수들 중에서도 장신에 속하는 편이고…… 그런데 장점을 제 입으로 직접 말하자니 쑥스럽기 그지없네요.

기자 : 그럼 다음 질문으로 넘어가죠. 대학 배구 시절 가장 기억에 남는 경기는요?

김봉주 : 지난주에 치른 경기인데요. 잘 뛰고도 마지막에 저 때문에 졌어요. 많은 아쉬움이 남는 경기라서 아직도 생생하게 기억에 남습니다.

기자 : 저도 현장에서 지켜봤는데 그 당시 김 선수를 제외하고 그 전 경기로 인해 부상당한 선수가 꽤 많았잖아요. 아무리 뛰어난 선수라도 혼자서는 팀의 승리를 안겨 줄 수 없었을 거예요. 그러니 자책하지 않으셨으면 합니다.

김봉주 : 좋은 말씀 정말 감사드립니다. 더 열심히 해야지요.

기자 : 인하대 배구의 특징은 뭔가요?

김봉주 : 우리 팀은 장신 군단이라 불리는데요. 다들 키가 커서 평균 신장이 높아요. 그렇기 때문에 공격력도 좋고 다른 대학팀에 뒤지지 않는 것 같습니다. 앞으로 조금만 더 손발을 맞추면 더욱 잘 할 수 있을 거라 생각됩니다.

기자 : 감독님은 어떠세요? 엄하지 않으신가요?

김봉주 : 항상 기본기와 정신력을 강조하세요. 처음에는 격려.. 믿는다고 말씀해 주시는데 저희가 계속 안 좋은 모습만 보여드리면.. 감독님께서 호랑이로 변하세요.

기자 : 끝으로 앞으로의 목표에 대해서도 이야기해 주세요.

김봉주 : 우선 국가대표선수로 세계 대회에 출전할 수 있다면 좋겠죠. 그리고 최선을 다해 선수 생활을 하다가 10년 후쯤에는 지도자가 되면 좋겠어요.

기자 : 인터뷰에 응해 주신 김봉주 선수께 진심으로 감사합니다. 올해 좋은 성적을 거둬서 내년 국제 대회에서 좋은 결과가 있기를 바랍니다.

5 세계 속의 한류

듣고 말하기1 509

기자 : 내일부터 오는 6일까지 나흘 동안 강남 알리기 행사의 일환으로 강남역 일대에서 한류와 패션 등을 주제로 '강남 페스티벌'이 개최됩니다. 이번 축제는 한국관광공사와 강남구청이 주관하였으며, 내일부터 3일 동안 국내외 유명 디자이너들이 참여하는 패션쇼가 개최될 예정입니다. 마지막 날인 6일에는 강남역 앞 특설무대에서 동방소년과 소년시대 등 한류 스타들이 대거 참가하는 한류 페스티벌 공연이 펼쳐집니다. 이번 축제 기간 동안 안전사고를 대비하여 강남역 일대의 차량이 전면 통제될 예정이오니 대중교통을 이용하여 주시길 바랍니다. 또한 강남구 일대 주요 백화점과 음식점 등 270여개 업체가 일부 품목을 최대 60%까지 할인한다고 하니 많은 관심 부탁드립니다.

남자 : 어휴, 난 다음 주에는 강남역에는 얼씬도 안 해야겠어.

여자 : 왜? 안 그래도 볼거리, 즐길 거리가 많으니 같이 가자고 말하려고 했는데……. 같이 가자. 응?

남자 : 난 좀 빼줘. 사람 많은 데는 질색이야. 더구나 유명 스타가 온다면 강남역은 사람들로 발 디딜 틈이 없을 테니…….

여자 : 아, 그래도 이런 건 흔히 볼 수 있는 기회가 아니잖아.

듣고 말하기2 510

DJ : 여러분. 요즘 전 세계적으로 한류가 급부상하고 있다는 소식 많이 접하고 계시죠? 그런데 실제로 체감을 못하고 계시는 분들이 많으실 거예요. 그래서 매주 여러 나라에 살고 계시는 통신원들과 전화 통화로 그 나라의 소식을 직접 전해 듣는 코너를 마련했습니다. 이번 주는 프랑스 소식을 들어 볼까 합니다. 여러분도 아시다시피 지금 유럽은 한류열풍이 거세다고 하는데 어느 정도 일까요? 광고 듣고 통신원 연결해 보겠습니다.

통신원 : 오늘은 여러분들께 프랑스의 K-POP 열풍에 대해서 전하고자 합니다. 지금 유럽은 한류 열풍으로 뜨겁다고 해도 과언이 아닌데요. 이런 모습은 불과 얼마 전까지만 해도 상상조차 못했던 일입니다. 여러분도 콧대 높은 유럽 문화의 중심지인 프랑스 파리에 한류 바람이 일고 있다는 사실을 쉽게 믿지 못하시겠지요? 10여 년을 파리에서 살고 있는 저로서도 프랑스인들이 한국 노래를 따라 부르고 k-pop 춤을 배우려고 학원을 찾기도 하고 한국 음식을 일부러 사 먹는 모습은 이색적인 풍경이었습니다. 얼마 전 파리에서 한국의 유명가수들이 출연한 콘서트가 열렸습니나. 제가 매우 놀랐던 사실은 공연 예매 시작 후 단 15분 만에 표가 매진되는 진풍경이 벌어진 것입니다. 그리고 표를 구하지 못한 유럽 팬 300여명이 루브르 박물관 앞에서 공연 연장을 촉구하는 시위를 했고요. 이 모습이 뉴스와 신문을 통해 퍼져 나가 역동적인 한류 문화가 그들을 사로잡고 있음을 증명했습니다.

DJ : 아, 그 공연 소식은 저도 인터넷 뉴스로 접했습니다. 이재희 씨도 직접 공연을 즐겼다고 하셨죠?

통신원 : 예, 저도 고등학생 아들이 있는데요, 아들이 워낙 공연을 보고 싶어 해 겨우 표를 구해 공연을 관람했습니다. 아침부터 남편과 서둘러서 나섰는데 공연장에는 이미 새벽부터 유럽 전 지역에서 팬들이 몰려 와 있어 북새통을 이루고 있었습니다. 나중에 들어 보니 암표는 무려 500유로에 팔렸답니다. 공연은 3시간 정도 진행되었고 공연 내내 한국어로 된 노래를 따라 부르거나 기뻐서 눈물을 흘리는 사람들도 종종 보였습니다. 사실 타국에서 한국에 대한 관심이 폭발적인 걸 보고 있으면 한국인으로서 자부심을 느끼게 됩니다.

DJ : 프랑스에서의 한류 열풍이 상당히 거세게 불고 있군요. 이와 더불어 한국어에 대한 관심도 늘고 있다면서요?

통신원 : 예, 공연장에서 만난 제 아들의 친구는 한국말을 배우러 한글학교에 갈 거랍니다. 보통 이곳에서 한국어를 배우자면 수개월을 기다려야 한답니다. 이와 더불어 올해 파리의 모 대학 한국어학과 응시생은 수백 명에 달하리만큼 예년에 비해 큰 폭으로 증가했습니다. 이럴 때는 괜스레 마음 한 구석이 찡하고 한국인이라는 것이 무척 자랑스럽다는 생각이 듭니다. 앞으로도 이 여세를 몰아 다양한 분야에서도 대한민국의 문화가 널리 알려지기를 바랍니다.

DJ : 네, 오늘 좋은 소식 감사합니다. 다음 주에도 새로운 소식을 기대하도록 하겠습니다

6 나누는 기쁨

듣고 말하기1 511

아멜리 : 자르갈, 지금 보고 있는 앱은 뭐야?

자르갈 : 이 앱을 켜고 걸으면 10m를 걸을 때마다 자동으로 적립금이 쌓인대. 그 적립금은 걷기가 어려운 장애 아동의 수술비와 치료비로 기부된다고 하더라고.

아멜리 : 와, 걷기만 하는데 자동으로 기부가 돼? 대부분의 사람들이 관심이 없다기보다는 정보가 부족해서 참여하지 못하는 경우가 많더라고. 봉사할 시간이 부족하거나 넉넉하게 기부할 수 없는 사람들도 쉽게 참여할 수 있겠는데. 게다가 기부 절차도 훨씬 간편하고 말이야.

자르갈 : 그럼! 난 기부금을 조금이라도 더 모으려고 평소보다 자주 걷게 되더라고. 건강에도 좋으니 누이 좋고 매부 좋은 일 아니겠어?

아멜리 : 누군가에게 내가 가진 것을 나눠주는 일은 결국 나에게도 유익이 되는 것 같아. 좋은 앱을 소개해줘서 고마워. 나도 지금부터 시작해봐야지.

듣고 말하기2 512

진행자 : 대학생 자원봉사자로 지원해주신 여러분, 안녕하십니까? 봉사의 현장으로 나가기에 앞서 자원봉사자가 갖춰야 할 올바른 책임과 의식에 대해 생각해 보고자 이 자리를 마련하였습니다. 그럼 지금부터 '자원봉사의 올바른 방향 모색'이라는 주제로 토의를 시작하겠습니다. 저는 진행을 맡은 안드레이입니다. 토의 참가자로는 김우진, 정선혜 씨가 나와 계십니다. 첫 번째 토의의 안건은 '자원봉사의 궁극적인 목적은 무엇이 되어야 하는가'입니다. 이에 대해 자유롭게 발언해 주시기 바랍니다.

정선혜 : 자원봉사를 하다보면 수혜자에게 필요한 것이 무엇인가에 집중하여 자칫하면 이들의 자립 문제에 대해서는 미처 생각하지 못할 때가 있습니다. 눈앞에 나타난 문제를 해결하는 것도 중요하지만 보다 장기적인 안목에서 무엇이 진정 도움이 될 지 생각해 봐야하지 않을까요?

김우진 : 저도 정선혜 씨의 생각에 동의하는 바입니다. 한 가지 예를 들어 말씀드리겠습니다. 이전에 여행을 갔을 때 관광지 근처에는 거리에서 1달러를 외치는 빈곤층 아이들이 많았습니다. 단순한 동정심에 1달러를 준다면 제 마음은 편할지 모르지만 그 아이는 학교나 집으로 돌아가지 않은 채 평생을 그 1달러에 의존하며 살게 될 것이라는 생각이 들었습니다. 이와 같은 문제를 해결하기 위해 이 지역에서는 빈곤층 청소년들에게 직업 교육을 시켜 선생님과 아이들이 같이 식당을 운영하는 사회적 기업들이 생겨났습니다. 아이들이 직업 교육을 통해 잠재력을 개발하고 이후에는 자립할 수 있도록 돕는 역할을 하는 것입니다. 이처럼 사람들이 스스로 문제를 극복할 수 있는 힘을 기르도록 돕는 것이 자원봉사의 목적이 되어야 한다고 생각합니다.

정선혜 : 개인의 차원에서뿐만 아니라 지역이나 사회 발전의 차원에서도 마찬가지입니다. 헌 옷이나 물건을 수거해 개발도상국으로 보내는 경우가 있는데 이로 인해 그 지역에서 섬유 공업의 발전이 저해되는 사례도 있습니다. 결국 원조품에 의지하여 가난하게 살아갈 수밖에 없는 환경이 만들어지기 때문입니다. 이렇듯 우리가 참여하는 자원봉사가 진정 수혜자를 위한 일인가 생각해 볼 필요가 있습니다.

진행자 : 두 분 모두 장기적인 안목을 갖고 자원봉사에 임하는 것이 중요하다는 입장이었습니다. 하지만 물질적인 원조가 꼭 필요한 상황도 있을 텐데요.

김우진 : 물론입니다. 예컨대 내전으로 인해 삶의 터전을 잃은 수많은 난민이 생긴 나라가 있습니다. 이들을 수용할 장소가 확보되지 않는다면 추운 밤을 언 몸으로 지새워야 하는 상황이 벌어지게 됩니다. 이와 같이 전쟁이나 자연재해로 긴급하게 구호가 필요한 상황에서는 식량과 생필품 등의 구호품 지원이 반드시 필요합니다. 또한 일을 할 수 없는 아이들이나 노년층에게도 지속적인 지원이 필요하겠지요.

진행자 : 정선혜 씨의 의견은 어떻습니까?

정선혜 : 저 또한 지역 상황에 맞는 물질적 원조는 반드시 필요하다고 생각합니다. 하지만 이들이 구호 물품이나 지원금에 전적으로 의존하는 일이 없도록 주의를 기울이며 자활 능력을 높이는 일에 보다 힘써야겠습니다.

진행자 : 두 분의 의견 잘 들었습니다. 정리하자면 자원봉사의 궁극적인 목적은 봉사 대상자가 자립할 능력을 갖추도록 돕는 것이 되어야 한다는 의견이었습니다. 그럼, 이제 두 번째 안건으로 들어가 볼까요?

7 한국의 맛과 멋

듣고 말하기1 513

왕루 : 아시프 씨, 아까부터 뭘 그렇게 보고 있어요?

아시프 : 이건 한국의 음식 지도책인데요. 도서관에 책을 반납하러 갔는데 신간 서가 쪽에 있더라고요. 훑어보니 내용이 괜찮아서 다른 사람이 빌려 갈세라 얼른 대출했지요. 귀국하기 전에 여기 나와 있는 음식들을 전부 먹어 보고 싶어요.

왕루 : 어디 저도 한 번 보여 주세요. 된장국수, 따로국밥……. 이런 음식들도 있군요. 자세한 설명에 음식점 위치에 가격까지 이 책 정말 잘 빌렸네요. 여기 나와 있는 음식을 먹으러 갈 때는 잊지 말고 꼭 저도 데려가요.

아시프 : 당연히 같이 가다마다요.

왕루 : 신난다! 오늘부터 음식여행 자금을 좀 마련해야겠어요.

아시프 : 사실 처음에 한국에 왔을 때는 음식에 여간 적응이 어려운 게 아니었어요.
그런데 지금은 한식만 한 게 없는 것 같아요.

왕루 : 저도요. 이제 하루라도 한국 음식을 안 먹으면 입안에 가시가 돋칠 것 같다니까요.

아시프 : 하하하, 이제 우리 한국 사람이 다 됐나 봐요.

듣고 말하기2 514

사회자 : 안녕하세요. 요리보고 문화보고의 김태중입니다. 한국의 전통 음식 가운데 기내식으로 처음 등장 한 음식은 비빔밥입니다. 현재 비빔밥은 국내 항공사들만 제공하는 것이 아니라 많은 외국 항공사들도 제공하고 있지요? 이처럼 비빔밥이 외국인에게 인기가 있다는 점은 의심할 여지가 없을 것입니다. 이번 주에는 요리 연구가 이해숙 선생님과 비빔밥에 대해서 자세히 이야기해 볼까 합니다.

전문가 : 안녕하세요. 이해숙입니다. 한국 음식은 찌개나 탕, 전골 등 여러 가지를 섞어서 끓이는 음식이 발달했는데요. 이런 섞어 먹는 음식 가운데 가장 대표적인 것이 바로 비빔밥입니다.

사회자 : 비빔밥은 원래 여러 명칭이 있었다고 하는데 어떤 것들이 있나요?

전문가 : 비빔밥은 예전에 골동반 혹은 화반이라 불렸습니다. 골동반은 어지럽게 섞은 밥이라는 의미입니다. 이는 잘 지은 밥에 온갖 채소와 약간의 소고기를 올리고 고추장이나 간장을 넣어 섞기 때문이겠죠? 그런데 이렇게 섞기 전의 비빔밥을 보면 어떻습니까? 여러 가지 색의 재료들이 더해져 활짝 핀 꽃과 같이 화려한 모양이지요. 그래서 '화반', 즉 '꽃밥'이라고도 불렸습니다.

사회자 : 아, 비빔밥의 다른 이름에는 그런 뜻이 있었군요. 그렇다면 비빔밥이 이렇게 세계적으로 각광을 받는 이유는 무엇일까요?

전문가 : 비빔밥이 각광을 받는 이유는 맛있고 건강식이기 때문입니다. 음식 학자들은 보통 가장 좋은 건강식을 말할 때 채소와 고기의 비율이 8대 2정도가 되어야 한다고 합니다. 비빔밥은 이 비율에 근접하는 양상을 보입니다. 그래서 아주 훌륭한 건강식이라 할 수 있습니다.

사회자 : 비빔밥은 정말 건강을 위한 음식이군요. 그럼 선생님께서는 어떤 비빔밥을 최고의 비빔밥이라고 생각하시나요?

전문가 : 비빔밥은 두 가지 맛이 제대로 나야 최고의 비빔밥이라 할 수 있습니다. 우선 아무리 여러 가지 재료를 넣었을지라도 이 재료들이 재료의 본연의 맛을 잃어서는 안 됩니다.

사회자 : 각 재료들이 자신만이 갖고 있는 맛을 내야 하는 것이군요.

전문가 : 네, 그러나 이것만으로는 부족합니다. 비빔밥은 이 다양한 재료들이 섞여 새로운 맛을 냅니다. 이 새로운 맛을 내기 위해 고추장 같은 양념이 필요합니다. 고추장은 각 재료들의 맛을 섞어 더 높은 차원으로 승화시키는 촉매 역할을 하는 것입니다. 비빔밥은 바로 이 두 맛, 각 재료들의 고유한 맛과 그것이 합쳐져 나오는 새로운 맛이 제대로 어울려야만 최고의 비빔밥이라 할 수 있습니다.

사회자 : 아, 그렇군요. 사실 저는 비빔밥은 그냥 아무 재료를 한 그릇에 넣고 별생각 없이 비벼 먹는 음식이라고 생각했었는데요. 제가 잘못 알고 있었습니다. 비빔밥이야말로 매우 섬세한 음식이네요. 선생님, 한 가지 더 궁금한 게 있습니다. 비빔밥에 담긴 한국 문화는 어떤 것이 있을까요?

전문가 : 여러 재료를 섞어 새로운 맛을 내는 것은 찌개나 탕 등도 마찬가지입니다. 이 음식들도 끓이는 과정에서 새로운 맛이 나오지 않습니까? 비빔밥을 비롯한 한국의 음식에는 이렇듯 여러 가지를 뒤섞어서 하나로 만드는 섞음의 문화가 들어있습니다.

사회자 : 그런 관점에서 볼 때 비빔밥은 섞음의 미학을 가장 잘 구현한 음식이 아닌가 싶습니다.

전문가 : 네, 맞습니다. 그런데 더 재미있는 것은 비빔밥은 여기에 그치지 않고 파격의 미학을 실현시켰다는 것입니다. 비빔밥이 처음에 나오면 꽃이 만발한 것처럼 예쁘다고 하지 않았습니까? 그러나 이렇게 예쁜 것은 잠깐이고 여기에 고추장을 넣고 마구 비벼대지요? 그래서 그 아름답던 것이 순식간에 무너집니다. 질서를 단번에 파괴했기 때문입니다. 세상에 음식을 이렇게 먹는 민족은 다시 찾아보기 힘들 겁니다.

사회자: 네, 저도 일전에 외국 손님과 함께 비빔밥을 먹은 적이 있는데 예쁘게 나온 음식을 마구 비벼서 먹는다는 게 매우 놀랍다고 말씀하시더군요. 비빔밥의 종류는 참 다양한 것 같은데요?

전문가 : 예, 비빔밥은 종류가 정말 다양합니다. 지금은 전주비빔밥이 유명하지만 원래는 진주 같은 다른 도시의 비빔밥이 더 유명했답니다. 그리고 지방마다 들어가는 재료가 조금씩 다릅니다. 예를 들어 거제 지방에서는 멍게를 넣는다고 하지요? 그 외에도 요즘에는 치즈 비빔밥이나 낙지 비빔밥 등 정말 다양해졌습니다. 이처럼 비빔밥은 들어가는 재료에 제한이 없습니다.

사회자 : 가장 유명한 비빔밥으로 어떤 것을 들 수 있을까요?

전문가 : 여러 가지 비빔밥 중에서 제일 유명한 것은 안동의 헛제삿밥일 겁니다. 이것도 비빔밥의 일종인데 원래는 제사를 지내고 남은 재료로 만드는 것이었지요. 이 음식은 후손들이 조상들과 같이 먹는다는 데에서 그 의미를 찾아야 할 것입니다. 그뿐만 아니라 후손들이 비벼서 같이 나누어 먹었다니까 후손들의 공동체 의식을 기를 수 있는 음식이라 할 수도 있습니다.

사회자 : 오늘 말씀 잘 들었습니다. 고맙습니다, 선생님. 마지막으로 애청자들께 한 말씀 해 주세요.

전문가 : 비빔밥은 그저 하나의 음식에 불과하지만 자세히 살펴보면 이렇게 우리 문화가 생생하게 살아있는 것을 알 수 있습니다. 더 나아가서 다른 전통문화도 이런 눈으로 본다면 한국의 문화를 이해하는 데에 도움이 될 것입니다. 감사합니다.

8 언어와 문자

듣고 말하기1 515

왕루 : 자르갈, 너는 한국어를 배울 때 뭐가 가장 어려웠니?

자르갈 : 나? 음…… 난 존댓말이 제일 어렵던데! 존댓말 때문에 얼마나 힘들었다고.

왕루 : 맞아. 나도 그 말에 백번 동감해. 난 한국에 오기 전에 한국어를 존댓말로 먼저 배워서 처음에는 그렇게 어렵지 않았거든. 그런데 나중에 한국 친구들과 사귀고 대화를 하다 보니 친구들이 반말을 하래서 시작했는데 문제는 그 다음이었어.

자르갈 : 뭔데?

왕루 : 그 다음 날 수업시간에 교수님께서 말씀하시는데 내가 잘 못 들었지 뭐야. 그래서 옆 친구한테 '뭐라고 한 거야?' 그랬다가 진짜 곤란한 상황에 처할 뻔 했어. 아휴, 지금 생각해도 식은땀이 나.

자르갈 : 하하, 정말 큰 실수를 했구나. 사실 한국어를 배울 때 누구나 그런 실수는 한 번쯤은 하게 마련이야. 특히 배운 것을 실제 상황에서 사용하려고 하면 헛갈릴 때가 종종 있더라고.

왕루 : 그렇지? 네가 그렇게 얘기해 주니 마음이 한결 가벼워진다. 망신을 당하는 한이 있더라도 몸으로 부딪치서 한국어를 더 열심히 배워야겠어.

듣고 말하기2 516

앵커 : 한류가 확산되면서 우리 문화의 근원인 우리말과 글에 대한 관심이 높아지고 있습니다. 세계로 뻗어가는 한국어, 한글의 위상을 인하대학교 홍길동교수님을 모시고 이야기를 들어 보겠습니다. 교수님, 안녕하세요?

교수 : 네, 안녕하십니까?

앵커 : 한국어의 관심이 높아지고 있습니다. 세계의 어느 문자보다 글자의 모양을 만든 원리가 과학적이고 체계적인 것으로 알려져 있는데요. 그 원리가 궁금합니다.

교수 : 네, 한글은 다른 문자를 모방해서 만든 것이 아닙니다. 사람의 혀나 입, 목구멍을 본뜨거나 하늘, 땅 사람의 생김새를 본떠 만든 독창적인 문자입니다. 자음의 경우 기본 글자인 'ㄱ, ㄴ, ㅁ, ㅅ, ㅇ'그 소리와 관련이 있습니다. 그러니까 자음은 사람의 발음 기관을 본떠서 만들었습니다. 그래서 글자 모양만 보고도 그 글자가 어디에서 소리가 나는지를 알 수 있지요. 모음의 기본 글자는 천(•),지(ㅡ), 인(ㅣ) 세 글자입니다. 이것은 세상을 구성하는 가장 중요한 요소인 하늘, 땅, 사람을 본떠서 만들었습니다.

앵커 : 예를 들어 주시면 이해하기 쉬울 것 같은데요.

교수 : 네, 자음의 경우 기본 글자 'ㄱ'에 획을 더하면 'ㅋ'이 됩니다. 'ㅋ'은 획이 더해지면서 'ㄱ'보다 소리가 좀 더 거세집니다. 모음은 '•'를 'ㅡ, ㅣ'에 결합하여 'ㅗ, ㅏ, ㅜ, ㅓ'를 만들었습니다. 여기에 다시 '•'를 결합하여 'ㅛ, ㅑ, ㅠ, ㅕ'를 만드는 것이죠.

앵커 : 그렇군요. 한글의 원리가 참 쉬우면서 과학적인 것 같습니다.

교수 : 네, 그렇습니다. 한글은 기본 자음과 모음에 획을 더하거나 기본 글자를 합하는 방식입니다. 그래서 글자를 하나하나 외우지 않고도 배우고 활용하기가 매우 쉽게끔 만들어졌습니다. 자모 40개의 글자로 수많은 말소리를 적을 수 있기 때문에 매우 효율적입니다. 그래서 굉장히 과학적이고 우수하다고 할 수 있지요.

앵커 : 교수님의 설명을 들으니 기본자에 획을 하나씩 더해 가며 새로운 글자를 만드는 과정은 한글의 우수성뿐만 아니라 경제성의 원리에도 잘 들어맞는 것 같습니다. 이렇게 과학적이고 효율적인 한글이 우리나라가 정보통신 강국이 되는 데 밑거름이 된 것 같은데요.

교수 : 정확하게 짚으셨습니다. 요즘 우리가 사용하고 있는 휴대 전화도 문자판 배치부터 훈민정음의 창제 원리를 적용하고 있지 않습니까? 한글이 컴퓨터나 휴대 전화를 염두에 두고 만든 것 같습니다. 특히 천지인 방식은 그야말로 천(•),지(ㅡ), 인(ㅣ) 세 글자만으로 모음자들을 모두 만들어 낼 수 있도록 했습니다.

앵커 : 세종대왕께서 선견지명이 있으셨나 봅니다. 정보화 시대에 신속성까지 요구하는 시대가 됨으로 말미암아 쉽고 간단한 한글의 가치가 더욱 빛나는 것 같습니다. 오늘 말씀 잘 들었습니다. 고맙습니다.

교수 : 네, 고맙습니다.

모범답안

1 이야기와 삶

듣고 말하기1 P.11

1. 훈훈하다　　2. ②, ③　　3. 자유대답

어휘 학습 P.12

1. 1) 허탈하다　2) 후련하다　3) 처량하다
   4) 초조하다　5) 야속하다　6) 의기소침하다
   7) 뭉클하다
2. 1) 나태하다　2) 무모하다　3) 사려 깊다
   4) 우직하다
3. 1) 다　2) 가　3) 라　4) 나
4. 1) 간이 콩알만 해졌다　2) 목이 메었다
   3) 하늘이 무너지는　4) 두 다리를 뻗고
   5) 애간장을 태우며

읽고 말하기 P.15

1. 조선 시대 숙종 임금 때
2. 신분을 초월한 사랑
3. ②, ④
4. 뜻밖에 일어난 큰 사건이나 사고
5. 1) 부친을 따라 서울로 올라가게 됨.
   2) 수청을 거절한 춘향을 고문하고 옥에 가둠.
   3) 과거 시험에 장원 급제하여 암행어사로 전라도에 파견됨.
   4) 암행어사 출도로 관아가 아수라장이 되었고 변사또는 파직을 당함.
   5) 춘향을 한양으로 데려가 본부인으로 삼고 백년해로 함.
6. 자유대답

듣고 말하기2 P.18

1. 토끼와 거북이의 사랑
2. ②
3. 자유대답
4.

	원작 토끼와 거북이	거북이를 사랑한 토끼
1)	누가 더 빠른지 경주를 통해 밝히려고	토끼 : 거북이에게 자신감을 심어주기 위해, 거북이 : 토끼에게 멋진 모습을 보여주기 위해
2)	토끼 : 거만하다 거북이 : 인내심이 있다	토끼 : 배려심이 있다 거북이 : 의기소침하다
3)	거북이가 이김	거북이가 이김
4)	꾸준히 노력하는 자는 언젠가 성공할 수 있다	사랑하는 사람에게 용기를 내어 고백해야 한다

5. 자유대답

문법 및 표현 P.21

1. 1) 이　2) 은　3) 가　4) 이　5) 는
   6) 는　7) 는　8) 이　9) 이　10) 은
   11) 는　12) 는

2 내가 찾는 직업

듣고 말하기1 P.28

1. 추천서를 부탁드리기 위해
2. ④　　3. 자유대답

어휘 학습 P.30

1. 1) 다　2) 가　3) 마　4) 라
   5) 아　6) 사　7) 바　8) 나
2. 자유대답
3. 1) 찬물을 끼얹은 듯이　2) 가뭄에 콩 나듯이
   3) 잔뼈가 굵은　4) 눈 밖에 났다

4. 1) 다　　2) 가　　3) 라　　4) 나

읽고 말하기 P.35

1. ②　　2. ②　　3. ③　　4. ④　　5. 자유대답

듣고 말하기2 P.38

1. 1) 자신의 장·단점　　2) 홍보 분야에서 일한 경험
   3) 자신의 가치를 평가

2.

	로빈	흐엉
장점	책임감이 있다 대인관계가 좋다	적응력이 뛰어나다 대인관계가 좋다
단점	사소한 일을 잊어버린다	인정이 많다

3. 1) ○　　2) △　　3) ○　　4) ○
   5) △　　6) △　　7) △　　8) ○
4. 자유대답
5. 자유대답

3 생활 속 과학

듣고 말하기1 P.49

1. 미용실에 가서 머리를 할 예정이다.
2. ②
3. 자유대답

어휘 학습 P.50

1. 1) 고막　　2) 줄기　　3) 눈　　4) 혈액형
   5) 적혈구　　6) 엽록소　　7) 물질　　8) 견과류
   9) 뿌리
2. 1) 다　　2) 가　　3) 라　　4) 나
3. 1) 엄마 손은 약손
   2) 웃음이 명약이라고 하잖아요
   3) 제비가 낮게 날면 비가 온다고
   4) 찬물도 체한다는
   5) 바늘구멍으로 황소바람 들어온다더니

읽고 말하기 P.54

1. ①
2. 아직 화장품 동물실험 금지에 대한 법적 제제가 없고 기업의 원가 절감을 위해서
3. ②, ③
4. 시험관에 배양된 인간의 인공 피부 세포를 사용하여 실험하는 방법
5. ①
6. 자유대답

듣고 말하기2 P.56

1. 인간복제
2. ③
3. 1) 왕루
   2) 자르갈, 아멜리, 아시프
   3) 안드레이, 흐엉, 로빈
4. 1) 바　　2) 다　　3) 마
   4) 가　　5) 라　　6) 나
5. 현재도 장기매매는 법적으로 금지되어 있지만 암암리에 이루어지는 경우가 허다하다. 인간 복제가 허용될 경우 지금보다 장기 이식이 많아질 텐데 그것을 정부에서 통제하는 것은 불가능하다.
6.

	답변
찬성 토론자1	인간 복제를 허용하되 도덕적 범위 안에서 자유롭게 선택한다면 큰 문제가 없을 것이다.
찬성 토론자2	유전적 결함이 있는 사람이 그것을 알면서 병을 유전시킨다면 그것이 더욱 문제 된다. 인간 복제에 대해서 법적으로 정확한 규정을 만들어 놓고 그 안에서 자유롭게 선택한다면 남용과 인권 문제 등을 줄일 수 있다.

7. 자유대답

4 운동과 건강

듣고 말하기1 P.67

1. 대학 배구 대회
2. ①, ③
3. 자유대답

어휘 학습 P.68

1. 1) 유산소 운동: 수영, 장거리 달리기, 권두, 마라톤, 줄넘기, 에어로빅, 걷기, 자전거 타기, 등산, 조깅
   2) 무산소 운동: 팔굽혀 펴기, 권투, 단거리 달리기, 씨름, 윗몸일으키기, 잠수, 멀리뛰기
2. 1) 근력, 체력　　2) 근력, 체력
   3) 근력, 지구력, 체력, 심폐기능
   4) 근력, 유연성, 체형교정, 균형감각
   5) 근력, 순발력, 체력, 민첩성, 균형감각
3. 1) 수포로 돌아가겠어요
   2) 콧대를 꺾었습니다
   3) 손에 땀을 쥐는 경기였어
   4) 손발이 맞지 않았지만
   5) 얼굴을 못 들고
4. 자유대답

읽고 말하기 P.73

1. 운동을 하는 학생이 두뇌 활동이 활발하여 성적이 더 좋았다.
2. 한국은 공부를 중시하는 분위기이나 일본은 공부보다 운동이나 놀이를 중시한다.
3. ②, ④
4. ④
5. 자유대답
6. 자유대답

듣고 말하기2 P.76

1. 배구 선수
2. ②
3. 1) 배구를 어떻게 시작하게 되었나?
   2) 운동 선수의 대학 생활은 어떤가?
   3) 대학 배구 시절에 가장 기억에 남는 경기는 무엇인가?
   4) 배구 감독님은 어떤 분이신가?
   5) 앞으로의 목표는 무엇인가?
4. 1) 초등학생 때 배구부 감독님의 학생 모집이 계기가 되었다.
   2) 거의 운동에만 전념해야 해서 또래 친구들처럼 대학생활을 마냥 즐기기만 하지 못한다.
   3) 지난 주에 치른 경기
   4) 기본기와 정신력을 강조하신다. 격려하시다가도 엄한 모습을 보이기도 하신다.
   5) 국가대표선수로 세계 대회에 출전하고 싶다. 그리고 최선을 다해 선수 생활을 하다가 10년 후쯤에는 지도자가 되고 싶다.
5. 자유대답

5 세계 속의 한류

듣고 말하기1 P.87

1. 남자는 행사 장소에 가지 않으려고 하는 반면에 여자는 가고 싶어 한다.
2.

	내용
1) 언제	내일부터 6일까지 나흘 동안
2) 어디에서?	강남역 일대
3) 무엇을?	강남 페스티벌
4) 어떻게?	패션쇼, 한류 페스티벌 공연, 할인행사
5) 누가?	한국관광공사와 강남구청
6) 왜?	강남을 알리기 위해

3. 자유대답

어휘 학습 P. 88

1. 1) 사 2) 라 3) 가 4) 바
   5) 마 6) 나 7) 다
2. 1) 방금 2) 비록 3) 차라리 4) 꽤
   5) 도무지 6) 금방 7) 좀처럼
3. 1) 감탄을 금치 못했다.
   2) 내 마음을 사로잡았거든
   3) 코끝이 찡해졌어
   4) 마음을 울렸다
   5) 눈이 휘둥그레졌어
   6) 귓가에 맴돌아
   7) 입소문이 자자한
   8) 등을 돌리고 말았다
4. 1) 나 2) 라 3) 다 4) 가

읽고 말하기 P. 91

1. ③
2. ③
3. 자유대답
4. 자유대답

문법 및 표현 P. 95

1. 1) 누나, SNS를 탈퇴하자니까요?
   2) 난 SNS를 탈퇴하기 싫다니까.
   3) 내가 우리 집 가는 길을 왜 몰라?

듣고 말하기2 P. 97

1. 유럽의 한류열풍
2. 해외에서의 한국에 대한 관심이 폭발적이므로
3. ①
4. 자유대답

6 나누는 기쁨

듣고 말하기1 P. 107

1. ①, ②, ⑤
2. 누이 좋고 매부 좋고
3. 자유대답
4. 자유대답

어휘 학습 P. 108

1. 1) 위문활동
   2) 재해구호활동
   3) 물품기증
   4) 재능기부
   5) 공정거래무역
2. 1) 나 2) 다 3) 라 4) 가
3. 1) 눈 뜨고 볼 수 없었다
   2) 입을 모아서
   3) 발 벗고 나서서
   4) 발길이 뜸해졌다

읽고 말하기 P. 111

1. 열악한 환경에서 생산자가 만든 제품을 직거래를 통해 정당한 대가를 지불하고 소비하는 것
2. 정당한 무역을 통해 지속 가능한 발전에 기여하기 위해서
3.

생산자	소비자
기본적인 권리를 보호 받을 수 있음	도덕적인 만족감을 느낄 수 있음, 친환경적인 제품을 사용할 수 있음

4. ③
5. 커피, 초콜릿, 올리브오일, 설탕 등
6. 자유대답

듣고 말하기2 P. 114

1.

주제	자원봉사의 올바른 방향 모색
안건	자원봉사의 궁극적인 목적은 무엇이 되어야 하는가?

2. ②
3. ③
4. 봉사 대상자가 자립할 능력을 갖추도록 돕는 것이 되어야 한다.
5. 자유대답

7 한국의 맛과 멋

듣고 말하기1 P. 123

1. 한국 음식 지도책에 나온 음식을 먹어보려고 한다.
2. ③
3. 자유대답

어휘 학습 P. 124

1. 1) 가　2) 다　3) 라　4) 나
2. 1) 나　2) 가　3) 라　4) 다
3. 1) 싫은 매는 맞아도 싫은 음식은 못 먹는다는
   2) 시장이 반찬이라더니
   3) 고기도 먹어 본 사람이 많이 먹는다는
   4) 뚝배기보다 장맛이라는

읽고 말하기 P. 128

1. 맛집 탐방
2. ③, ④
3. ②
4. ②, ④
5. 자유대답

듣고 말하기2 P. 131

1. ①
2.

	의미
1) 골동반	어지럽게 섞은 밥
2) 화반	활짝 핀 꽃과 같이 화려한 모양

3. 1) 여러 가지를 뒤섞어서 하나로 만드는 섞음의 미학
   2) 질서를 파괴하여 마구 비비는 파격의 미학
4. ③, ④
5. 자유대답

8 언어와 문자

듣고 말하기1 P. 141

1. 한국어를 배울 때 가장 어려웠던 점
2. ③
3. 자유대답

어휘 학습 P. 142

1. 1) 함구하다　2) 장담하다
   3) 곡언하다　4) 나무라다
   5) 직언하다
2. 1) 쓴소리를 하시는
   2) 정곡을 찌르는
   3) 말문이 막혀
   4) 말꼬리를 잡는
3. 1) 라　2)다　3) 가　4)나
4. 1) 같은 말이라도 '아' 다르고 '어' 다르다고
   2) 혀 아래 도끼 들었다는
   3) 입은 비뚤어져도 말은 바로 하라고
   4) 호랑이도 제 말하면 오고, 사람도 제 말 하면 오는 법이에요

읽고 말하기 P. 145

1. 한글의 우수성을 알리는 교육 프로그램 개설을 건의하는 글
2. ③

3.

수신자	대학교 총장님
건의자	한인 교포 연합회 회장 김제니퍼
건의의 내용	한글의 우수성을 알리는 교육 프로그램 개설
건의 내용에 대한 근거	• 세계적으로 가치를 인정받은 한글의 우수성 • 지식 정보 사회에서의 한글의 우수성

4. ③

5. 자유대답

듣고 말하기2 P. 148

1. 한글이 만들어진 원리

2. ②

3. 1)

기본자	가획자
ㄱ	ㅋ
ㄴ	ㄷ – ㅌ
ㅁ	ㅂ – ㅍ
ㅅ	ㅈ – ㅊ
ㅇ	ㅎ

2)

기본자	본뜬 모양
•	하늘
ㅡ	땅
ㅣ	사람

4. 자유대답

5. 자유대답

어휘 색인

1 관용 표현

2. 한자성어

한자성어	영역
백년가약(百年佳約)	5급 01과
백년해로(百年偕老)	5급 01과
우공이산(愚公移山)	5급 01과
일심동체(一心同體)	5급 01과
일편단심(一片丹心)	5급 01과
청천벽력(靑天霹靂)	5급 01과
상전벽해(桑田碧海)	5급 02과
역지사지(易地思之)	5급 02과
용두사미(龍頭蛇尾)	5급 02과
학수고대(鶴首苦待)	5급 02과
격물치지(格物致知)	5급 03과
박학다식(博學多識)	5급 03과
삼한사온(三寒四溫)	5급 03과
온고지신(溫故知新)	5급 03과
권선징악(勸善懲惡)	5급 05과
비일비재(非一非再)	5급 05과
죽마고우(竹馬故友)	5급 05과
칠전팔기(七顚八起)	5급 05과
다다익선(多多益善)	5급 06과
동병상련(同病相憐)	5급 06과
상부상조(相扶相助)	5급 06과
이심전심(以心傳心)	5급 06과
고량진미(膏粱珍味)	5급 07과
산해진미(山海珍味)	5급 07과
진수성찬(珍羞盛饌)	5급 07과
호의호식(好衣好食)	5급 07과
감언이설(甘言利說)	5급 08과
선견지명(先見之明)	5급 08과
언중유골(言中有骨)	5급 08과
언행일치(言行一致)	5급 08과
유언비어(流言蜚語)	5급 08과

3. 어휘전체

어휘전체	영역
간이 콩알만 해지다	5급 01과
감수하다	5급 01과
감찰하다	5급 01과
감춰지다	5급 01과
강화하다	5급 01과
거들다	5급 01과
거지꼴	5급 01과
건국	5급 01과
결합하다	5급 01과
겸비하다	5급 01과
고문하다	5급 01과
고을	5급 01과
고을	5급 01과
고조선	5급 01과
곡식	5급 01과
국경일	5급 01과
권력	5급 01과
그렁그렁	5급 01과
급제하다	5급 01과
꺼려하다	5급 01과
나태하다	5급 01과
낙인	5급 01과
노하다	5급 01과
다스리다	5급 01과
도입되다	5급 01과
동굴	5급 01과
두 다리를 뻗다	5급 01과
두절되다	5급 01과
뒷전	5급 01과
드넓다	5급 01과
들통 나다	5급 01과

어휘전체	영역
출두	5급 01과
치마폭	5급 01과
타들어가다	5급 01과
토착민	5급 01과
투지	5급 01과
파직하다	5급 01과
폭염	5급 01과
하늘이 무너지다	5급 01과
하늘하늘	5급 01과
한달음	5급 01과
한사코	5급 01과
한없다	5급 01과
행색	5급 01과
행해지다	5급 01과
허름하다	5급 01과
형벌	5급 01과
혼인하다	5급 01과
홍익인간	5급 01과
흡사하다	5급 02과
가뭄에 콩 나다	5급 02과
간략하다	5급 02과
간혹	5급 02과
거치다	5급 02과
결격사유	5급 02과
공	5급 02과
공익	5급 02과
공채	5급 02과
교정시력	5급 02과
기복	5급 02과
노출되다	5급 02과
눈 밖에 나다	5급 02과
능통하다	5급 02과
대자연	5급 02과
둔감하다	5급 02과
명확하다	5급 02과
몰두	5급 02과
밀리다	5급 02과

어휘전체	영역
발급하다	5급 02과
보유자	5급 02과
사	5급 02과
상당하다	5급 02과
상전벽해	5급 02과
선도하다	5급 02과
선의	5급 02과
소정	5급 02과
소지하다	5급 02과
수행하다	5급 02과
스스럼없다	5급 02과
실은	5급 02과
싹싹하다	5급 02과
역지사지	5급 02과
외교관	5급 02과
용두사미	5급 02과
유출	5급 02과
이직	5급 02과
인맥	5급 02과
인연	5급 02과
일체	5급 02과
잔뼈가 굵다	5급 02과
전형	5급 02과
절제	5급 02과
주식회사	5급 02과
지배욕	5급 02과
찬물을 끼얹다	5급 02과
취득하다	5급 02과
투덜거리다	5급 02과
포근하다	5급 02과
필기시험	5급 02과
하마터면	5급 02과
학사	5급 02과
학수고대	5급 02과
학위	5급 02과
학회	5급 02과
한결	5급 02과

어휘전체	영역
찬물도 체한다	5급 03과
촉진	5급 03과
출혈	5급 03과
탈	5급 03과
태아	5급 03과
통로	5급 03과
틔우다	5급 03과
표면	5급 03과
함유되다	5급 03과
허용되다	5급 03과
화학약품	5급 03과
환상	5급 03과
훼손	5급 03과
흥청망청	5급 03과
희생되다	5급 03과
검도	5급 04과
격려	5급 04과
경보	5급 04과
골	5급 04과
골프	5급 04과
공격력	5급 04과
관장하다	5급 04과
귀가 아프다	5급 04과
근력	5급 04과
뇌파	5급 04과
다이빙	5급 04과
두뇌	5급 04과
듬직하다	5급 04과
등원	5급 04과
딴짓	5급 04과
레슬링	5급 04과
리듬체조	5급 04과
말끔하다	5급 04과
면밀하다	5급 04과
무너뜨리다	5급 04과
무심결	5급 04과
민첩성	5급 04과

어휘전체	영역
박진감	5급 04과
배부하다	5급 04과
배정	5급 04과
보답하다	5급 04과
봅슬레이	5급 04과
부상 당하다	5급 04과
빼근하다	5급 04과
사격	5급 04과
사이클	5급 04과
생생하다	5급 04과
소감	5급 04과
손발을 맞추다	5급 04과
손발이 맞다	5급 04과
손수	5급 04과
손에 땀을 쥐다	5급 04과
수구	5급 04과
수모	5급 04과
수상스키	5급 04과
수중발레	5급 04과
수포로 돌아가다	5급 04과
순조롭다	5급 04과
스쿼시	5급 04과
승마	5급 04과
실점	5급 04과
실종되다	5급 04과
심폐기능	5급 04과
아령	5급 04과
안기다	5급 04과
암벽등반	5급 04과
양궁	5급 04과
얼굴을 못 들다	5급 04과
엄하다	5급 04과
엇갈리다	5급 04과
에어로빅	5급 04과
역도	5급 04과
연속	5급 04과
오역하다	5급 04과

어휘전체	영역
부적합하다	5급 05과
부축하다	5급 05과
북새통	5급 05과
분노하다	5급 05과
비법	5급 05과
비일비재	5급 05과
삿대질	5급 05과
상쇄하다	5급 05과
선	5급 05과
슬쩍	5급 05과
습성	5급 05과
악	5급 05과
악플	5급 05과
암표	5급 05과
애쓰다	5급 05과
애처롭다	5급 05과
얼씬	5급 05과
여세	5급 05과
원망스럽다	5급 05과
위로	5급 05과
유년	5급 05과
유명세	5급 05과
응시생	5급 05과
의아하다	5급 05과
이색적	5급 05과
일다	5급 05과
일대	5급 05과
일환	5급 05과
입건되다	5급 05과
입소문이 자자하다	5급 05과
자괴감	5급 05과
저작물	5급 05과
전면	5급 05과
전수	5급 05과
족집게	5급 05과
주관하다	5급 05과
죽마고우	5급 05과

어휘전체	영역
중독성	5급 05과
즉흥적	5급 05과
지지하다	5급 05과
진풍경	5급 05과
질색	5급 05과
짝사랑	5급 05과
쫄쫄	5급 05과
차라리	5급 05과
체감	5급 05과
촉구하다	5급 05과
출연하다	5급 05과
칠전팔기	5급 05과
코끝이 찡하다	5급 05과
콧대가 높다	5급 05과
타국	5급 05과
통신원	5급 05과
폭	5급 05과
폭포	5급 05과
표적	5급 05과
표절	5급 05과
하찮다	5급 05과
한류	5급 05과
해질녘	5급 05과
허탈하다	5급 05과
호응	5급 05과
호평	5급 05과
가짓수	5급 06과
감행하다	5급 06과
개발도상국	5급 06과
개설되다	5급 06과
거리감	5급 06과
공정무역	5급 06과
공정하다	5급 06과
구호품	5급 06과
난무하다	5급 06과
내전	5급 06과
넉넉하다	5급 06과

어휘전체	영역
원조	5급 07과
음복	5급 07과
인근	5급 07과
일품	5급 07과
입안에 가시가 돋다	5급 07과
입이 짧다	5급 07과
전골	5급 07과
절이다	5급 07과
정취	5급 07과
제사	5급 07과
진수성찬	5급 07과
촉매	5급 07과
추진되다	5급 07과
출출하다	5급 07과
탐방지	5급 07과
탕	5급 07과
터줏대감	5급 07과
토막	5급 07과
트다	5급 07과
파괴하다	5급 07과
풍경	5급 07과
피어나다	5급 07과
행여나	5급 07과
헛제삿밥	5급 07과
현명하다	5급 07과
호의호식	5급 07과
훌쩍	5급 07과
훑어보다	5급 07과
흔적	5급 07과
감언이설	5급 08과
강국	5급 08과
같은 말이라도 '아' 다르고 '어' 다르다	5급 08과
개설하다	5급 08과
건승하다	5급 08과
계열	5급 08과
곡언하다	5급 08과
공인하다	5급 08과

어휘전체	영역
구르다	5급 08과
꼬집다	5급 08과
꿀 먹은 벙어리	5급 08과
낑낑대다	5급 08과
나무라다	5급 08과
내정자	5급 08과
단언하다	5급 08과
달콤하다	5급 08과
도로	5급 08과
뒤통수	5급 08과
말꼬리를 잡다	5급 08과
말문이 막히다	5급 08과
망신	5급 08과
멍	5급 08과
멸망하다	5급 08과
몸으로 부딪치다	5급 08과
미루다	5급 08과
미숙하다	5급 08과
밑거름	5급 08과
바야흐로	5급 08과
배치	5급 08과
본뜨다	5급 08과
부딪치다	5급 08과
불쑥	5급 08과
사사건건	5급 08과
선견지명	5급 08과
시비	5급 08과
식은땀	5급 08과
쓴소리하다	5급 08과
악담	5급 08과
약진	5급 08과
언급하다	5급 08과
언중유골	5급 08과
언행일치	5급 08과
염두	5급 08과
원리	5급 08과
유언비어	5급 08과

참고 문헌 및 자료 출처

1과 듣고 말하기1 _ 20초의 행복, 최후남, 서울메트로 스토리텔링 공모전 우수상, 2012

2과 문화 산책 _ 머리 가슴 장으로 해결하라, 윤태익, 나무생각, 2007

3과 읽고 말하기 _ Choose Cruelty Free Australia(삽화), KARA(사)동물보호시민단체

3과 문화 산책 _ 속담 속에 숨은 과학, 정창훈, 봄나무, 2005

4과 읽고 말하기 _ '운동해야 똑똑', 권순표 기자, MBC 뉴스플러스, 2013

5과 문화 산책 _ 안티카페 심리학 약자의 뒷담화, 이지웅 기자, 헤럴드 경제, 2013

6과 읽고 말하기 _ 공정무역 도시, 인천을 말하다, 송은숙 기자, 인천In, 2012

7과 읽고 말하기 _ 헛제삿밥, 박동철, 디지털안동문화대전

7과 듣고 말하기2 _ 위대한 문화유산 비빔밥, 최준식, 네이버 캐스트, 2010

8과 읽고 말하기 _ 세종, 한글로 세상을 바꾸다, 김슬옹, 창비, 2013

8과 문화 산책 _ 유머로 배우는 한국어, 최권진, 한국문화사, 2009

새인하한국어5

2014년 09월 01일 1쇄 발행
2024년 12월 20일 5쇄 발행
저 자 : 최권진, 남은영, 오솔샘, 정경화, 김승희
발행처 : 인하대학교 출판부
주 소 : 인천광역시 미추홀구 인하로 100
전 화 : 032) 860-8301
등 록 : 1979년 5월 23일 남구 제13호

인쇄·편집 : 진원디자인프린텍 TEL : 032)467-4544~5

ISBN : 978-89-7407-963-5
978-89-7407-961-1(세트)
정 가 : 27,000원